Oscar bestsellers

ROTATION
PLAN

Dello stesso autore

MAURO CORONA

LE VOCI DEL BOSCO

OSCAR MONDADORI

© 2008 Arnoldo Mondadori Editore S.p.A., Milano

I edizione Scrittori italiani e stranieri aprile 2008
I edizione Oscar bestsellers aprile 2009

ISBN 978-88-04-50531-0

Questo volume è stato stampato
presso Mondadori Printing S.p.A.
Stabilimento NSM - Cles (TN)
Stampato in Italia. Printed in Italy

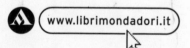
www.librimondadori.it

LE VOCI DEL BOSCO

Noi siamo alberi e gli alberi sono uomini.

Ai piromani, perché riflettano.

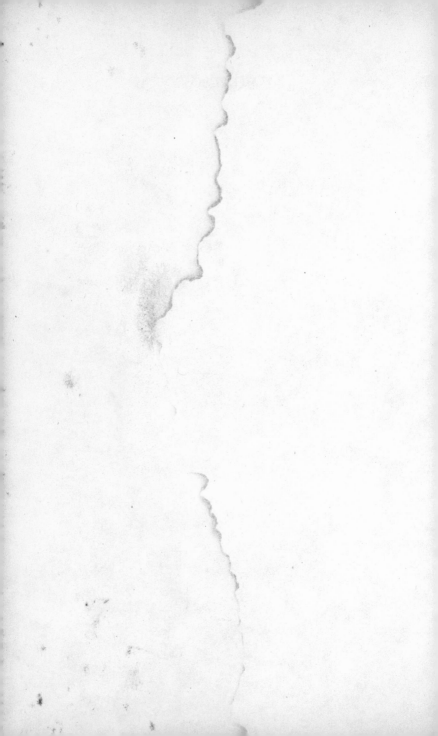

Introduzione

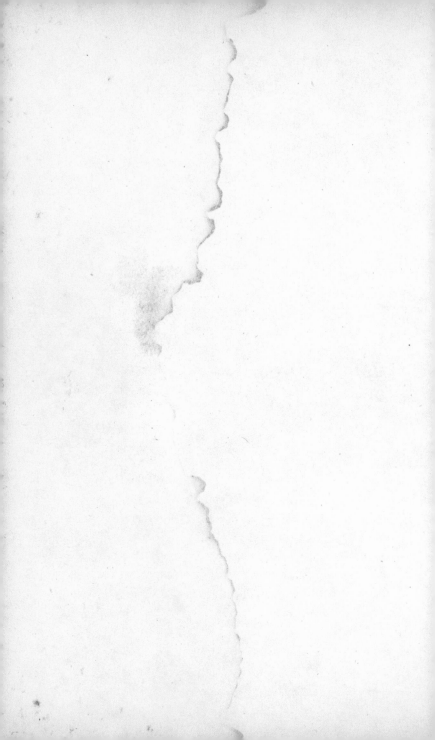

Le pagine che seguono questa breve introduzione non contengono un trattato di botanica e nemmeno parole di assoluta verità. Ciò che in esse si potrà leggere sono "verità personali", suscitate da riflessioni indotte da oltre cinquant'anni di vita nei boschi e dialoghi con le piante. In questo tempo così lungo ho capito che tutto, in natura, ha un proprio carattere, una personalità, un linguaggio, un destino. Osservando e ascoltando con attenzione il creato, è possibile udire la sua voce.

Un torrente di montagna, dopo una settimana di pioggia, diventa grosso e tumultuoso. L'acqua assume un colore marrone e il rumore che fa scorrendo è cupo e assordante. In quel momento il torrente ci sta parlando, ci comunica di fare attenzione, di non attraversarlo perché sarebbe pericoloso. Gli alberi non si spostano, ma possiedono un loro carattere che comunicano in vari modi: con la bellezza, con l'oscillazione delle fronde, con la consistenza delle fibre. E anche con la diversa reazione che hanno nei confronti di chi li tocca. In queste righe si parla di alberi e di uomini: a volte bene e altre male.

Certamente, chi ha trascorso l'infanzia in compagnia del suo amato tiglio, cresciuto nel cortile di casa, non proverà simpatia per l'autore che, in un punto di queste pagine, maltratta quell'albero senza mezze misure. Ma l'affetto personale (che io peraltro rispetto) per una cosa non cambia in meglio il valore reale di quella cosa e, per me, il tiglio rimane un albero appariscente, ma debole e di scarso interesse. Anch'io preferisco certi tipi di piante rispetto ad altri che amo meno, e ad altri ancora che evito con cura. Come capita, del resto, nella vita: con gli amici, i compagni di lavoro, le donne, la gente. La simpatia che un albero può suscitare in noi e il valore che gli attribuiamo sono soggettivi e ispirati da motivi personali non scevri di una complicità che nasce da un'inconscia affinità di carattere.

Così il cattivo, senza quasi rendersene conto, proverà simpatia per il sambuco, il buono per il larice, il semplicotto per il faggio e via dicendo.

Ma gli alberi, in fondo, non hanno nessuna colpa, e se non vengono provocati dall'uomo, che li strappa a volte brutalmente dal luogo di nascita, le loro miserie le tengono ben piantate nella terra. Gli uomini, invece, portano sovente e volentieri la loro cattiveria in giro per il mondo.

Le voci del bosco

IL PAESE
RIPIDO
M.CORONA 98

Voglio raccontare del bosco di Erto perché mi ha visto crescere e io l'ho visto crescere, e perché è un bosco che ha sofferto da sempre. Non ha avuto la vita facile di altri suoi fratelli, non è nato e vissuto in un dolce pendio ma nel ripido, nell'erto appunto. Gli sono mancate le più piccole comodità e tutto ha conquistato con la fatica, così come, con fatica, sono cresciuti gli ertani.

Gli ertani sono gente tosta. Perseguitati per secoli dalla malasorte, non si sono mai arresi, né mai hanno lucrato o pianto il morto nelle loro tragedie. Hanno grande stabilità poiché anche loro, come gli alberi, sono nati sul ripido, e per stare in piedi su un terreno simile occorre molto equilibrio.

A me è capitata la fortuna di avere avuto un nonno che lavorava i tronchi, per far legna e per costruire gli oggetti che i miei genitori e la nonna andavano a vendere nei paesi di pianura. "Eravamo bambini dei monti con scarsi giochi e poche gioie..." scriveva

PALA PER
FORNAI
IN ACERO
(cm 180 x 25)

M CORONA 98

NELLE LUNGHE
SERE D'INVERNO
DALLE MANI DEL NONNO
USCIVANO COME PER
MAGIA FAVOLOSI
GIOCATTOLI.

Renata Viganò, e come tanti ragazzini poveri spesso venivamo lasciati alle cure dei nonni. Anch'io fui consegnato al mio: un vecchio nato nel 1879, alto e taciturno, che si chiamava Felice Corona.

Di mestiere faceva l'intagliatore d'oggetti in legno. Fabbricava mestoli, ciotole, cucchiai, forchette e setacci da farina. Ai panettieri forniva le pale in acero per togliere il pane dal fuoco. Erano lunghe stecche larghe una spanna, pulite e bianche, di quel bianco candido e bello che sa di innocente. Il bianco comunica l'idea del puro; così, per maneggiare il pane, nessun legno è più indicato dell'acero.

Era un uomo, mio nonno, che nel volto assomigliava all'imperatore Francesco Giuseppe.

Io lo seguivo per imparare e per conoscere il bosco e il linguaggio degli alberi. Ho scoperto, così, che i grandi boschi sono le città e quelli piccoli i paesi e i villaggi dentro ai quali scorre la vita e dove gli uomini abitano in compagnia dei loro drammi, dei dolori, delle gioie. Gli alberi sono come noi e noi siamo come alberi, ognuno con il proprio carattere, struttura fisica, fortuna e disgrazia. Osservando le piante, tutti ci possiamo riconoscere nell'una o nell'altra perché anch'esse, come noi, possiedono una personalità, un modo di vivere, un'educazione, una cultura.

Capiterà, allora, che l'uomo buono e generoso si riconosca nel cirmolo, il cocciuto nel carpino, il superbo nel noce, l'elegante nella betulla e così via. Ma

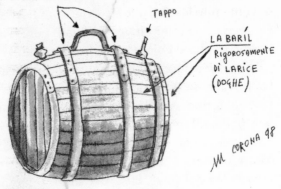

MANICO E LAME IN FERRO

TAPPO

LA BARÍL
Rigorosamente
di LARICE
(DOGHE)

M CORONA 98

per questo bisognerà che incominciamo ad ascoltare e studiare il bosco, a leggere le sue pagine. Le sorprese non mancheranno.

Durante i nostri vagabondaggi boschivi, il nonno mi mostrava il larice che, tagliato in strette doghe, serviva a costruire le "baril", piccole botticelle ovali utili a portare l'acqua ai falciatori sui pascoli alti.

Guardava il fusto e mi diceva: «Vedi, questo sembrerebbe diritto» e io, bambino, lo vedevo diritto. Poi lui mi aiutava a osservare meglio e a notare che più in alto, verso la cima, il larice si avvitava a spirale. «Sai perché?» seguitava, «perché da piccolo è stato maltrattato. Il vento lo ha contorto quando era ancora un virgulto e le sue fibre, dalla base alla punta, non sono più diritte; quindi non possiamo tagliarlo: per fare le baril servono doghe diritte.»

Il larice in quel momento gli stava parlando: "Non tagliarmi vecchio, perché io sono stato rovinato da giovane e ora non posso più servire al tuo lavoro. Lasciami vivere! Se mi tagli, sarò solo buono per il fuoco".

Così sono venuto a conoscenza del linguaggio degli alberi, stagione dopo stagione, anno dopo anno, camminando dietro al vecchio e guardando prima con i suoi occhi e poi, un po' alla volta, con i miei. È stato tutto naturale. Il passaggio tra larici, aceri, maggiociondoli, carpini e molti altri legni ha accompagnato la mia infanzia.

Ogni albero ha una voce, un carattere, un uso.

Anche mia nonna Maria – a quel tempo i nomi (Maria, Giuseppe, Pietro) erano semplici come quelli degli alberi (Larice, Abete, Pino) – era una donna del bosco, ma, al contrario del nonno, lei aveva con gli alberi un rapporto pratico, essenziale. Riusciva a distinguere anche al buio, dal peso, un legno verde da uno secco per fare fuoco.

Sapeva che con le foglie del noce non si poteva fare il letto alle mucche, altrimenti il latte delle mammelle si asciugava immediatamente.

Il suo era un sapere pratico, inteso più che altro a evitare danni, come tutte le donne badava alla sostanza delle cose.

Durante il suo percorso terreno di moglie e madre era stata colpita duramente dal destino. Quattro dei suoi figli (ne aveva avuti sei) erano morti in giovane età di febbre spagnola.

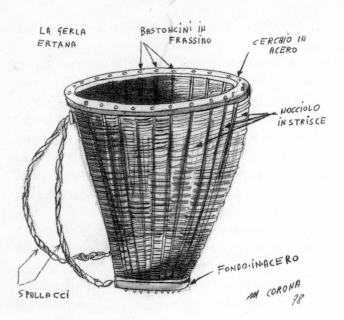

LA GERLA
ERTANA

BASTONCINI IN
FRASSINO

CERCHIO IN
ACERO

NOCCIOLO
IN STRISCE

FONDO·IN·ACERO

CORONA
98

SPALLACCI

Non fu facile per lei vivere accanto al nonno, uomo taciturno e buono, ma anche inflessibile ed esigente.

Una volta, ma fu solo quella, non so per quali motivi, forse gelosia, egli la sfregiò passandole sul viso un tizzone ardente. Morì quasi novantenne con quel segno di fuoco ancora impresso sotto l'occhio sinistro.

Andava di rado nel bosco, però portava pesi e sapeva che, nella gerla, di carpino non poteva caricarne grandi quantità. Di ontano o di tiglio invece sì, perché

18

pesavano poco. Il tiglio selvatico, usato per fare i taglieri da polenta, è leggero come un foglio di carta.

La gerla è una specie di cesta a forma conica, alta più o meno un metro e con il diametro superiore di circa cinquanta centimetri.

I legni che la compongono sono l'acero per le stecche, il fondo e il cerchio, il nocciolo per le sottili strisce di vimini e il viburno per gli spallacci. Viene portata sulla schiena come uno zaino. Nel paese gli ultimi depositari dell'antica arte delle gerle sono Rico Dorizzi e il boscaiolo "artista" Carle De Furlan.

Non va però dimenticato un altro genio del legno sopravvissuto, a Erto, all'era della plastica. È Cice Mela, virtuoso assoluto dei mestoli e dei cucchiai in faggio. Li scolpisce nelle forme più raffinate e riesce a dare alla "tazza" l'incredibile spessore di pochi millimetri. A lui va riconosciuto il merito di essere entrato nell'anima del faggio.

Mio nonno parlava con gli alberi, li rispettava e gli voleva bene, nonostante fosse costretto a tagliarli per mantenere la famiglia.

Per esempio mi chiedeva di tenere le mani attorno alla corteccia quando la incideva per fare gli innesti. Era convinto, e lo sono anch'io, che in quel momento l'albero provava paura, tremava e veniva assalito dalla febbre. Le mie mani strette a lui servivano a rassicurarlo, proteggerlo, aiutarlo a sopportare il dolore che il taglio gli procurava. Così diceva mio nonno.

Fino a una ventina di anni fa il rapporto tra bo-

IL TERRIBILE
UOMO-ALBERO DELLA
VAL BOZZIA.

scaioli e alberi era di reciproco rispetto. Certo non tutti i taglialegna erano sensibili come mio nonno: alcuni parlavano lo stretto necessario, altri, invece, dialogavano fitto con le piante.

Molto ho imparato dal vecchio cacciatore Ottavio, da Checco De Costantina, morto nel Vajont, e da Carle De Furlan.

Checco era una creatura del bosco. Sembrava un folletto lui stesso. Piccolo, spalle larghe e barba lunga un metro. Esperto cacciatore, alpinista e boscaiolo, amava la natura come nessuno mai. Credo che nella sua lunga vita abbia dormito più fuori, all'aperto, nei boschi e negli antri, che dentro casa. Aveva sviluppato un senso finissimo del pericolo e quando camminava si muoveva con strappi veloci cui seguivano pause guardinghe, proprio come i camosci.

L'ultimo anno di vita lo trascorse in assoluto silenzio, camminando soltanto di notte. Della natura non gli interessavano più i dettagli o i particolari. Voleva vedere solo i profili. «Sono così belli e misteriosi, di notte, i profili delle montagne e degli alberi!» mi disse.

Checco mi consigliava: «Guarda che non è ora di andare lì, guarda che la montagna oggi non ti vuole».

Era vero. La montagna ostentava il colore bluastro, grigio e cinico del temporale imminente e lasciava trapelare il cattivo stato d'animo del momento.

«L'è scura, no la te vèul!» (È corrucciata, non ti vuole!) Così si esprimeva Checco De Costantina.

Quante volte mi avvertì di un pericolo, mi segnalò una difficoltà. Voleva aiutarmi a sviluppare l'istinto di conservazione insegnandomi a guardare e a sentire la voce della montagna.

Ricordo anche Sepp De Paol, altra vittima del Vajont, che prima di mettere un pezzo di legno sul tornio per ricavarne una scodella o un pesta sale lo teneva in mano, lo fissava, lo girava e rigirava per poi rimetterlo giù. Accendeva il toscano e riprendeva in mano il legno. Lo lisciava, lo accarezzava. Non agiva così perché non sapesse che cosa farne; l'idea l'aveva già ben definita, ma voleva capire di più e meglio. Segretamente, tra lui e il pezzo di legno era in corso un dialogo.

De Paol non procedeva a casaccio, ma di ogni legno cercava i pregi, i lati buoni, come si dovrebbe fare con le persone, e il legno stesso, che avvertiva l'attenzione prestatagli, restituiva a Sepp la cortesia rendendosi disponibile all'impiego.

Scolpiva diversi oggetti ma la sua abilità era un'altra: sapeva fabbricare eccellenti rastrelli da fieno. I più leggeri in assoluto, i più resistenti, i più belli erano i suoi. Ogni tanto ne caricava enormi fasci sul tetto della corriera e andava a venderli nell'Alpago.

Era un gigante grande e grosso dal cuore di bambino. Pochi giorni prima che l'acqua della diga venisse a prenderlo, s'era fatto la licenza di pesca per catturare i pesci del lago. Un mattino finalmente riuscì a tirar fuori una trota. La liberò dall'amo, ma quando si trattò di ucciderla e metterla nella cesta, non ne

PORTA DENTI IN FAGGIO

DENTI DI CARPINO O MAGGIOCIONDOLO

ASTA DI PINO GIOVANE (LEGGERO)

RASTRELLO DI SEPP DE PAOL

M. CORONA 90

fu capace. Tenendola delicatamente tra le sue mani enormi, la depose nell'acqua dicendo: «Va' là, fiolona! Torna do là che tère» (Va', povera sfortunata! Torna dov'eri prima).

Anche il grande scultore legnaiuolo dei boschi, Augusto Murer, mio maestro indimenticato, adoperava un suo segreto linguaggio. Prima di incominciare una scultura di grosse dimensioni, se ne stava un giorno intero a fumare e a guardare la pianta distesa. Ci girava attorno, la scrutava, l'annusava, la palpava.

I due si parlavano e si davano reciproci consigli nel tentativo di rendersi la vita meno dura.

Da Murer, oltre che la tecnica, ho imparato a non temere la potenza della pianta. «Devi parlarle» mi diceva, «fartela amica. Non puoi aggredirla subito così. Devi cercare le sue confidenze: a volte per ottenerle ci vogliono molti giorni.» In seguito adottai i suoi insegnamenti anche sulla roccia: durante le scalate difficili cominciai a parlare anche a lei e le cose andarono meglio. Augusto Murer era un grande conoscitore di tronchi, forse il migliore in assoluto. Troppo presto è mancato al mondo, e con lui la sua arte irripetibile.

Ancora oggi, dopo sessant'anni di lavoro, l'amico boscaiolo Carle De Furlan, una selva di saggezza anch'egli, chiede umilmente scusa a ogni pianta che deve tagliare. «Me despiès, canaja, ma cuign taiète!» (Mi dispiace, ragazza, ma devo tagliarti!) Lui vede anche gli alberi al femminile perché, come sempre, gli ertani concentrano nella donna tutto ciò che è potente, grande e misterioso.

Nella cultura chiusa, misogina e tremenda del paese, le cose magiche e sublimi, ma anche infide, traditrici e impossibili da dominare, diventano femmina.

Ricordo quelle volpi e quelle martore che, dopo es-

sere state catturate con grandi sacrifici, si rivelavano
maschi, ma che mio padre continuava a insultare al
femminile chiamandole con titoli irripetibili.

A Carle sono legato tutt'oggi da profondo affetto.
In passato ne abbiamo combinate di ogni colore e abbiamo fatto i boscaioli assieme, nella val da Diach.

Artigiano abilissimo, di lui si dice che con il legno
riesce a fabbricare le ali alle mosche. Non ha avuto
una vita facile e, fino a una certa età, sembrava non
gli interessasse molto tenerla da conto. Poi l'incontro fondamentale: una donna, un matrimonio, la nascita di due bambini. A volte lo vedo passare con i
figli nel passeggino di legno costruito da lui o nel
porta-enfant di acero uscito dalle sue mani. Nella
sua casa tutto è di legno, dai cucchiai ai giocattoli,
dalle culle alle sedie, dai lampadari ai vasi di fiori
e alle gerle. Oggi mi sembra un uomo felice e io sono contento per lui.

Erto viveva del bosco e del bosco coglieva il meglio. Salvo quei pochi che avevano le mucche, tutti
gli altri facevano i boscaioli.

Sperando di non offendere l'orgoglio dei miei
compaesani devo dire, però, che i taglialegna più
abili e veloci, le migliori "manére" della valle, non
erano di Erto ma di Cellino, minuscolo villaggio al-
lo sbocco della val Chialedina.

I boscaioli di Cellino li riconosci subito anche oggi
che "tagliano" meno. Non molto alti, tarchiati, con le

spalle larghe e un volto che porta impressa la ferma decisione di resistere a qualsiasi fatica. Alcuni di loro hanno smesso da tempo l'antica arte per andare a fare i gelatai in Germania. Ma in autunno, quando tornano, nei loro occhi c'è sempre il bosco.

Si tagliava, all'epoca, con la scure, e per riuscire a mettere sulla strada quattro metri cubi di legna al giorno era necessario disporre di braccia d'acciaio e di una mente svelta. Uccidere un albero con la manéra, senza capacità, significa dargli duecento colpi; usando la testa e la bravura, invece, sono sufficienti solo cinquanta. Anche questa è una forma di rispetto. I taglialegna conoscevano la sofferenza degli alberi e il dolore che procurava il filo dell'ascia nella loro carne, e meno colpi davano, minore era il tempo della morte.

Quando il lavoro scarseggiava, molti di loro partivano per l'Austria o la Francia. In Carinzia, dove spesso erano costretti a dimostrare ai boscaioli del posto il loro valore, s'erano guadagnati stima e rispetto.

Il nonno mi raccontava la storia di quel boscaiolo ertano, Santo della Val, deriso e messo in discussione nelle sue capacità. Lui se ne stava sempre zitto. Ma un giorno, quando tutti erano riuniti nei pressi della baracca-mensa, affilò la scure e le mise un manico nuovo. Poi, sempre con la serenità dei forti, si alzò il pantalone fin sopra il ginocchio della gamba destra. Senza dire una parola prese la manéra impugnando

SQUADRATURA DI UN
TRONCO A MANO

il manico nella sua parte finale. Così facendo, riduceva del 90 per cento la precisione del colpo. Guardò attentamente la lama, sollevò l'attrezzo in aria e si assestò un fendente tremendo in direzione dell'arto. Tutti chiusero gli occhi, inorriditi, convinti che si fosse amputato la gamba, ma riaprendoli videro che si era solamente rasato i peli del polpaccio.

Santo non disse nulla, qualcuno ricorda un sorriso. Certo è che da quel giorno i boscaioli della Carinzia lo rispettarono e lo lasciarono in pace.

Mio nonno era anche un buon pedagogo. A seconda del legno che gli serviva, mi portava nel bosco, perché potessi capire i motivi delle sue scelte. In quella selva di volti, odori, colori e rumori, paragonabili alla vita di una grande città, con strade, piazze e grattacieli, ho conosciuto l'acero, che al nonno serviva anche per ricavare i plantari delle galosce. Le galosce o "dàmede" erano come delle scarpe di legno, munite di chiodi per non scivolare. Noi ragazzi ne tenevamo anche un paio con la suola piallata per "sciare" sul ghiaccio che copriva le ripide viuzze di Erto.

Mi insegnava a riconoscere l'acero dalla corteccia liscia, color marroncino chiaro, dalle foglie a tre punte situate molto in alto e dai suoi primi quattro metri diritti e perfetti. Con calma e in silenzio, come in un rito antico, abbatteva l'albero e prendeva solo il pezzo prescelto. Il resto lo raccoglieva in altra occasione.

Poi si ritornava a casa e il vecchio mi costruiva le

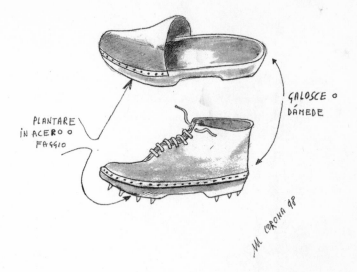

PLANTARE
IN ACERO O
FAGGIO

GALOSCE O
DÀMEDE

MC CORONA 98

dàmede o, se c'era la neve, un paio di sci. Gli sci del nonno erano attrezzi primordiali ricavati da una sottile tavola lunga un metro e larga più o meno dodici centimetri. La punta la piegava a caldo, sotto le braci. Per tenerli fissati alle dàmede usava applicarvi delle corregge in cuoio o in tela di sacco. Con quegli sci ci buttavamo a capofitto, rigorosamente in linea retta, lungo i ripidissimi prati, divertendoci come matti. Le prime, vere paia di sci e scarponi, assieme a un altrettanto favoloso zaino nuovo di zecca, mi furono regalate nell'inverno del 1964 dall'animo nobile e buono di Redento Toffoli, alpinista pordenonese e titolare di un negozio di articoli sportivi. Il giorno che venne a casa nostra con l'enorme pacco e lo aprì, non riuscivo

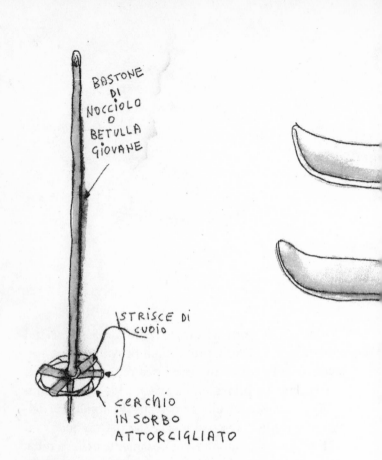

BASTONE
DI
NOCCIOLO
O
BETULLA
GIOVANE

STRISCE DI
CUOIO

CERCHIO
IN SORBO
ATTORCIGLIATO

a credere ai miei occhi. Ciò che non avevo mai osato sperare, nemmeno in sogno, quel mattino si trovava lì, sul tavolo, ed era incredibilmente tutto mio. Conservo come reliquie quegli sci e lo zaino Millet, modello Bonatti. E altrettanto tengo caro nel cuore il ricordo di colui che per la prima volta e per molto tempo mi riempì

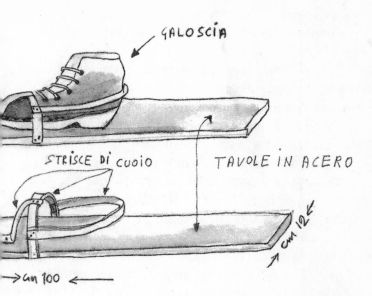

GALOSCIA

STRISCE DI CUOIO

TAVOLE IN ACERO

→ cm 100 ←

cm 12

i PRIMI SCI

M CORONA 98

l'animo di gioia con quel favoloso regalo. Redento Toffoli possedeva l'anima generosa del cirmolo.

«Devi tagliarlo solo in questo senso» spiegava mio nonno parlando dell'acero, «perché è un legno bello, elegante, ma di facciata.» Come tutte le cose solo appariscenti, è intimamente delicato e con un colpo di manéra, neanche tanto violento, lo puoi spezzare in due.

È un albero che in un primo momento sembra forte e sicuro di sé, invece ha un carattere fragile che si arrende subito e si lascia dominare. Si comporta come quelle persone che, di giorno, ostentano una sicurezza e una forza che in realtà dentro non hanno e, al calar del sole, vengono immancabilmente prese dall'ansia per la notte scura che si avvicina.

È un tipo che ha bisogno di luce. Il tormento, la fatica, il buio o una malattia anche lieve possono annientarlo.

Tutti i giorni di bel tempo, e anche nella cruda stagione, ritornavo con il vecchio nel bosco e sempre grazie a lui ho conosciuto il maggiociondolo.

Utilizzato per fare le spine delle botti e i pali della vigna, con i secoli è diventato, assieme al rovere, un intenditore di vini; ma, a differenza che con gli uomini, l'alcol non riesce a distruggerlo.

Non tutti gli uomini della valle, infatti, sono maggiociondoli, e certi vini contraffatti che arrivano solo da noi, a Erto, hanno ucciso più gente che la diga del Vajont.

Il tronco del "Maggio" non è mai diritto né grosso, ma si piega e vive di stenti, contento del poco di cui dispone.

Da lui il vecchio ricavava le cavezze per le capre

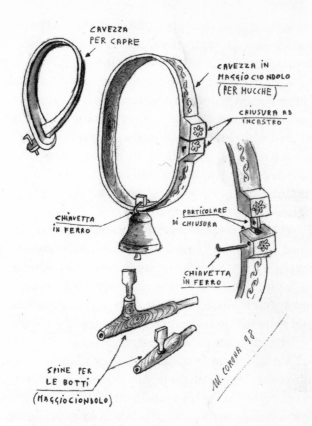

CAVEZZA PER CAPRE

CAVEZZA IN MAGGIOCIONDOLO (PER MUCCHE)

CHIUSURA AD INCASTRO

CHIAVETTA IN FERRO

PARTICOLARE DI CHIUSURA

CHIAVETTA IN FERRO

SPINE PER LE BOTTI (MAGGIOCIONDOLO)

M. CORONA 98

e le mucche. Per chi non lo sa, le cavezze sono cerchi in legno, oggi sostituiti dal cuoio.

Erano finemente decorate e ricamate dagli artigiani. Munite di un campanaccio, venivano infilate al collo delle bestie e chiuse tramite un ingegnoso dispositivo a incastro. Non dovevano rompersi mai e quindi non potevano essere fatte con l'acero perché si sarebbero spezzate al minimo urto e, perdendo il campanaccio, si perdeva l'animale.

Ho imparato che, se volevo fare una cosa a uso "tenero", non la potevo costruire con il maggiociondolo, buono per le cose resistenti come i denti dei rastrelli, che dovevano durare un'eternità e grattare sui prati quel poco fieno di montagna, ispido e ricco di essenze benefiche. Un fieno così "forte", diceva mio nonno, che ne bastava una manciata per saziare l'appetito di una mucca.

Nella concretezza risiede la nobiltà del maggiociondolo. È come l'amico fedele che rimane nell'ombra ma è pronto a intervenire in caso di bisogno. Di lui ti puoi fidare. Disponibile al sacrificio, è un legno speciale anche per la stufa e produce un fuoco gagliardo, di un bianco incandescente che riscalda l'anima prima ancora del corpo.

È un generoso, e quando stai scivolando non si comporta come la muga traditrice, ma ti sostiene e ti incoraggia. Non ha bisogno di affetti né li vuole. Non dipende da nessuno e affronta la vita schivo e riservato. Non disprezza l'amore ma neppure lo cerca.

Una betulla innamorata di un maggiociondolo attendeva che il vento la piegasse per andarlo a baciare, ma, per quanto il vento soffiasse forte, le mancavano sempre quei pochi centimetri per giungere al bacio agognato. In attesa dell'evento impossibile, la betulla gli parlava senza speranza. Fu il Vajont che li unì. Strappa-

MAGGIOCIONDOLO
CONSPIRITI DEI
BOSCHI E
BOSCAIOLO
STANCO

M CORONA 98

ti e trascinati via dall'acqua, si toccarono per un breve istante. Così, prima di morire, anche il maggiociondolo ebbe un po' d'amore, mentre dalle rive sparivano gli altri alberi e la gente, la gioia di vivere, tutto quello che ci aveva fatto sperare in un futuro migliore.

Confesso che voglio bene al maggiociondolo e mi ci sono affezionato, anche perché è un albero che sa invecchiare senza il patetico bisogno dei cosmetici antirughe. È sciocco cercare di mascherare il cammino degli anni. L'incedere del tempo cambia il colore alla pelle del maggiociondolo e la abbruttisce, ma lui non se ne rammarica.

Appena tagliato, all'interno è verde chiaro con stupende venature gialle. Quando lo levighi ostenta un verde cupo con intense fiammature dorate. Poi, dopo due, tre anni, passa al marron scuro, quasi nero, della vecchiaia.

Al termine della vita il maggiociondolo – senza urlare, ma in dignitoso silenzio come l'ulivo – entra nel buio della terra e scompare.

Credo sia orgoglioso di essere scolpito e diventare oggetto. Come ogni cosa preziosa data dalla natura è raro, e, nel bosco, solo dopo aver incontrato cento faggi trovi, forse, un maggiociondolo.

Vorrei assomigliargli e già mi considero un poco simile a lui, anche se, in verità, io sono un carpino.

Mentre cerchi di scovarlo, nella selva incontri processioni infinite di faggi che rappresentano la grande umanità del mondo.

I FAGGI PIANGENTI
SUL SENTIERO DEI
CARBONAI

M. CORONA 98

Vi è un posto, al mio paese, nel quale si può udire la voce di due faggi che piangono. Non ho mai saputo il perché di quel lamento (non hanno voluto dirmelo), ma li vedo sempre abbracciati, le teste reclinate, come a sostenersi a vicenda nel dolore straziante. Da Casso, il paesino sospeso sulla rupe, sopra la diga del Vajont, si prende l'antico sentiero dei carbonai, in direzione di Longarone. Dopo dieci minuti di cammino, alla fine del muro in pietra sul quale sta fissata la targa bronzea in omaggio alle portatrici – donne di fatica che avevano l'incarico di portare sacchi di carbone dalla valle del Vajont a Longarone –, subito a sinistra della via si trovano i due faggi piangenti. Aspettate che passi un po' di vento a muoverli e da quei tronchi uscirà un suono dolcissimo e struggente come un pianto lontano e misterioso. È una vocina sottile, incredibilmente malinconica e triste. Pare provenga dai remoti confini del mondo e si rimane incantati dalla sua straordinaria melodia. Nelle sere d'autunno, quando la solitudine comincia a pesare e l'ombra dell'inverno s'avvicina, mi reco spesso in quel luogo e sto seduto per ore, sul margine tranquillo della via, ad ascoltare l'incredibile lamento dei faggi piangenti.

Il faggio è la folla, la massa, e la sua giornata è quella del lavoratore alacre. La fabbrica funziona perché ci sono i faggi che avvitano bulloni e svolgono i lavori di manovalanza. Senza di loro la catena di montaggio non andrebbe avanti. Nessuna socie-

UN BEL GRUPPO DI
FAGGI, GLI OPERAI
DEL BOSCO.

FASSI SU TERRENO RIPIDO

tà può vivere e produrre solo con il riservato maggiociondolo, o con l'elegante betulla, o con il duro ma fragile acero. Ci vogliono i tanti faggi che ogni mattino sono lì, a timbrare il cartellino.

Certo lui non è un lettore, non va a teatro, il cinema impegnato non lo conosce, ma per il calcio, per la squadra del cuore, è disponibile a tutto. In fabbrica, il lunedì è felice se i suoi hanno vinto. E poi un po' di osteria, le carte e la televisione sono il suo mondo.

Dei faggi ho grande rispetto perché, da semplici operai, devono mantenere la famiglia, pagare l'affitto, mandare i figli a scuola. Nella città del bosco sono i manovali che impastano la malta, portano i mattoni e costruiscono le case. Senza di loro i designer, gli ingegneri, i tecnici, ossia i frassini, i tassi, i maggiociondoli, morirebbero di fame. Questi ultimi sono di famiglia privilegiata e quindi mancano (perché non hanno avuto bisogno di apprenderla) di quella manualità che, sola, permette la sopravvivenza e che sta pericolosamente scomparendo anche nei ceti meno abbienti. Ma, prima o dopo, sarà di nuovo necessario avere manualità e il riappropriarsene costerà assai caro a coloro che in quel tempo popoleranno la terra.

Molti faggi sono anche permalosi e tentano in ogni modo di ribellarsi al loro destino di uomini normali. Sognano a occhi aperti e vorrebbero, per esempio, diventare un'elegante scultura. Appena fiutano che invece li adoperi per ricavarne mestoli e cucchiai si chiudono in se stessi e diventano inattaccabili.

Allora devi prenderli e lavorarli subito, quando sono ancora ingenui, contare sulla sorpresa e non dargli il tempo di ragionare sul loro destino.

Così, mentre il faggio attende che qualcuno lo colga e lo usi, strappandolo all'anonimato della fiamma, il tasso non chiede mai nulla. Lui è la Ferrari del bosco.

Molti aspirano alla Ferrari ma pochi possono averla. Il tasso è come lei: è il cavallo vincente e non ha bisogno di elemosinare attenzione.

È un albero fortunato ma fatto di cristallo, perciò non può essere usato per lavori di sfregatura o di torsione, ovvero di fatica e sofferenza. I suoi compagni lo invidiano a tal punto che se tu dai un'arma al sambuco la prima cosa che fa è di partire per andarlo a uccidere. Il tasso è invidiato da tutti gli alberi del bosco.

Spesso mi sono chiesto perché alberi e uomini non sono poi tanto diversi tra di loro, e solo il tempo ha dato la risposta. Ho capito che tutto rientra nel gioco della vita e che in questo gioco sopravvivi se comprendi e accetti la tua più intima natura.

Un faggio che cercasse di imitare il pino, o una quercia che tentasse di assomigliare a una betulla, si troverebbero perdenti, frustrati, ridicoli e finirebbero sul lettino dello "strizzacervelli". Cambiare la nostra identità per cercarne una di moda, che non ci appartiene, fa smarrire il senso della vita.

Ma anche il tasso, così prezioso, così bello dentro, con i suoi colori, così compatto e forte ha la sua debolezza.

È duro come il vetro, ma non resistente. La sua posizione privilegiata, da cavallo di razza, lo ha reso friabile ai colpi della vita. I purosangue, si sa, sono molto più vulnerabili dei ronzini. Un tasso non sopporterebbe le sassate che la montagna tira ai carpini: si spezzerebbe subito.

Non soccombe al vento solo perché i suoi rami sono radi e alti, e anche in questo caso la natura lo ha privilegiato. È un uomo fortunato: bello, ricco, prestante e ricercato. Ma lui non ha fatto nulla per ottenere questa invidiabile posizione; la natura ha deciso la sua sorte. Come tutti i nobili ha sangue blu e indossa abiti di gran classe che mostra attraverso il colore rosso-viola, screziato da fiammature stupende.

Il tasso è il conte del bosco e non si abbassa a dialogare con nessuno.

È un gran legno, pieno di cultura, e sa di esserlo. Se un altro albero vuole andare da lui in visita, deve chiedere permesso. Viene protetto e difeso dalle sue stesse radici, che gli creano attorno un'aureola speciale, come un piccolo giardino riservato a suo personale uso e consumo.

Solo la morte, grande signora del mondo, mette as-

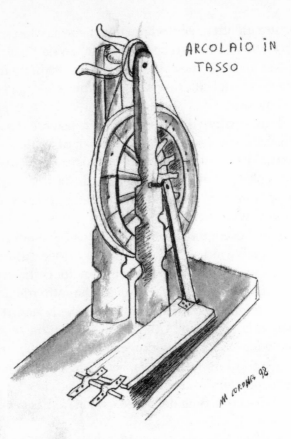

ARCOLAIO IN
TASSO

M CORONA 98

sieme con il taglio d'autunno pioppi, aceri, tassi, faggi, carpini e betulle. Accatastato assieme agli altri, per qualche giorno è costretto, con fastidio, a sopportare la vicinanza dei suoi simili. Ma si consola poiché sa che, per mettere da parte la sua essenza pregiata, il boscaiolo lo separerà presto dalla plebaglia.

La vita del tasso mi porta a ricordare un amico, figlio di un noto professionista friulano, che la sorte volle con me a L'Aquila nel centro addestramento reclute degli alpini. Correva l'anno 1970 ed entrambi dovevamo fare la "naja". Ma lui era un tasso e ben presto fu separato dalla marmaglia e rimandato a casa in congedo. Suo padre aveva voluto solamente che l'erede provasse la dura vita militare per qualche giorno, poiché in famiglia faceva i capricci.

C'è da dire però che la nobiltà del tasso, mista alla cultura ereditata dagli avi, lo rende amico nel lavoro e disponibile a venirti incontro e ragionare. Se lo prendi con la formale reverenza che si aspetta, ti offre il massimo di cui è capace. L'importante è che le distanze vengano sempre rispettate.

Non è certo come il nocciolo che già quando lo vedi sottile, diritto, alto e ben vestito, ti dà l'idea del furbetto che non vuole fare nulla: quello che, per evitare qualsiasi seccatura, mette in banca la sua vita con la speranza di proteggerla e farla fruttare senza sforzi. È talmente refrattario a qualsiasi rischio, che neanche si sogna di osare qualcosa di suo.

La fatica lo spaventa al punto che si rifiuta perfino di crescere e diventare grosso. Ma non è stupido e cerca i posti "a solivo", ossia dove batte il sole, come diceva mio nonno. Difficilmente lo trovi "a pusterno", dove il sole del Nord a malapena lo sfiora.

Molte volte si nasconde e, per vederlo, devi sbatterci contro.

Al pari di tutti i vili e fannulloni cerca la forza nel branco, perciò cresce assieme agli altri noccioli in numerose combriccole.

Queste si piazzano quasi sempre all'inizio del bosco, in modo da poter infastidire e intralciare il passo del viandante. A vederle sembrano quelle bande di giovani bulletti, padroni dei quartieri, il cui unico coraggio sta nell'importunare i vecchi o picchiare i barboni. Basterebbe il rumore della motosega per vederli cambiare colore e tremare di paura. Altro che la forza e il carattere del carpino, che ho conosciuto seguendo mio nonno nei boschi!

Da Checco Franz, a Longarone, il vecchio comperava le lame d'acciaio per fare le pialle, arnese fondamentale nelle mani dell'artigiano.

Checco Franz era il nostro "ferramenta", fornitore di ogni tipo di utensili. Gli ertani scendevano da lui poiché Maniago, città dei coltelli, era molto più lontana e difficile da raggiungere. Inoltre, quel sant'uomo conosceva i miei paesani uno per uno. Sapeva della loro proverbiale onestà e forniva loro i materiali anche quando non avevano soldi. Era sicuro che prima o dopo li avrebbe ricevuti.

La pialla è un attrezzo di sfregamento. Per poter passare ripetutamente legno contro legno senza che l'attrito consumi l'utensile è fondamentale che lo "sfregante" sia più resistente dello "sfregato". Insomma, deve essere un "duro" di quelli come si deve. E il duro dei duri è il carpino. Solo con lui si costruiva il corpo delle pialle.

Come nell'umana società, ci sono discriminazioni anche nei boschi. Esistono infatti nella stessa famiglia carpini bianchi e carpini neri. Mio nonno cercava i neri, che sono i più tosti e compatti, ma nel cerchio delle sfide tra duri c'è sempre qualcuno che lo è un po' di più. Quando sei convinto di aver trovato un cocciuto o un resistente scopri che dietro l'angolo ne esiste un altro che lo batte e che a sua volta verrà superato. Il carpino nero, per esempio, viene umiliato da certe acacie, impossibili da scalfire, ma che non possono diventare pialle perché il tempo le piega e le storce.

Si andava a cercare i carpini neri nelle zone magre, sui costoni pietrosi della val da Diach o sui picchi di Cerenton. Il carpino ama il terreno sassoso, dove gli stenti incurvano la vita. Cresce sfruttando quella poca sostanza che la natura gli concede. Si nutre di rari e preziosi cristalli, succhiati dalle radici alla madre Terra, che lo rendono, negli anni, di una compattezza marmorea.

Non può crescere veloce come l'abete bianco, le cui radici, avide e voraci, rubano tutto ciò che trovano nel terreno perché hanno il compito di nutrire bene il signore assoluto del bosco. Il carpino viene su lento e stentato e ogni suo centimetro di statura è una faticosa e dolorosa conquista.

Di carattere testardo, cresce storto, ossuto, inquieto e ramingo. Nelle fattezze contorte e nodose si legge un dolore antico e impenetrabile. Se capita di vedere un carpino diritto, è bene ricordarsi che si ha di fronte, ironia della natura, un portatore di handicap.

Quello "normale" cresce un po' di qua e un po' di là, piega a destra e poi a sinistra con contorsioni paurose e nodi slabbrati. In aggiunta a tutto ciò, vivendo sul ripido, spesso viene colpito dalle pietre cadenti, così ai nodi si aggiungono i grumi delle ferite rimarginate.

Il carpino assomiglia un po' all'ulivo nelle forme torturate, ma mentre l'ulivo esprime e lascia vedere le tribolazioni, il carpino trattiene il dolore nelle intime fibre del suo essere. È un solitario e ama fissare l'orizzonte. Non chiede nulla e di nulla ha bisogno. Anche quel sentimento chiamato amore rappresenta per lui un problema difficile.

Conosco la storia di quel carpino che, invaghitosi di una betulla, la sposò. Ma quando lei volle mettere le tendine alle finestre e chiamò i ragni per tesserle, lui la abbandonò. Voleva vedere brillare le stelle e camminare la luna, ma trine e tele glielo avrebbero impedito.

Una volta tagliato un carpino, mio nonno metteva in opera solo il primo pezzo (circa un metro),

IL CONTORTO
CORPO DELL'CARPINO
ARTIGLIATO ALLA SUA
TERRA

M. CORONA 98

che da sempre rimane la parte più dura dell'albero. Il resto lo usava per il fuoco. Quando brucia, il carpino non forma quasi braci. Come un uomo schivo e solitario, vuole scomparire nel nulla senza lasciare di sé la minima traccia.

Se il più testardo di tutti è il carpino, il più sfortunato degli alberi è il pioppo.

Egli appartiene, come socio fondatore, alla sterminata categoria dei disgraziati che popolano la Terra, a quel vasto numero di persone che non hanno alcun pregio e neanche la salute.

Dispone di pochissime qualità, il pioppo, e con il suo legno non puoi neanche fare fuoco, ché brucia male e a stento anche da secco. Sulla Terra si sente inutile. Ovviamente non si presta neppure a essere scolpito, perché, pur essendo molto tenero, le sue fibre producono una specie di "barba" che intralcia le sgorbie e non consente di levigare il manufatto come si deve.

Conscio della sua misera condizione, non vuole quasi vivere, e manda avanti l'esistenza a spintoni in attesa che la morte venga a prenderlo. Anche le foglie sono consapevoli della povertà del loro stato e si lasciano morire quando sono ancora attaccate ai rami. Con l'arrivo dell'autunno iniziano a consumarsi un po' alla volta, fino a che nel loro debole tessuto non si apre un foro. Allora il vento non riesce più a sollevarle e a portarle in giro per le valli. Così le figlie del pioppo muoiono ai piedi del padre ed entrano nel nulla senza aver visto il mondo un po' più lontano. Le foglie del pioppo cadono senza rumore, senza un lamento, e nel loro breve volo non manifestano alcun rimpianto. Si bagnano di lacrime silenziose e diventano in fretta humus della terra.

Appena nato il pioppo è già condannato e siccome non può offrire nulla, tranne che l'ombra di se stesso, da nessuno è cercato. Solo le liane selvatiche provano per lui un po' di affetto. Le liane sono le suore del bosco. Con cristiana compassione vanno a visitare tutti gli alberi disgraziati. Di notte si arrampicano sul pioppo, lo accarezzano, lo consolano, gli tengono compagnia, e al mattino pregano per lui tra i suoi rami incerti. A volte egli è preso dalla disperazione, perde la pazienza, diventa cattivo e le maltratta scrollandosele di dosso.

Succede spesso così: le persone buone che ci aiutano e ci vogliono bene vengono ripagate solo dai nostri insulti.

D'estate – a tutti, nobili e villani, buoni e cattivi, colti e ignoranti – il pioppo può offrire la fresca carezza di un'ombra gentile.

Ma è con la morte che avviene il riscatto e si realizza concretamente la parabola evangelica secondo la quale gli ultimi saranno i primi.

Stritolato dalle macine e pressato, il pioppo si trasforma in carta per offrire rifugio alle parole che danno vita ai grandi capolavori della letteratura. Sulle sue fibre è stato stampato il *Cantico dei Cantici*. Sui suoi fogli sono stati tracciati i disegni dei Maestri. Le sue pagine conservano la testimonianza della crescita culturale nei millenni.

Oltre alla nobiltà, all'invidia, alla povertà e alla serietà, nel bosco c'è anche la cattiveria. Tra gli alberi esiste la cattiveria dell'arroganza, del tradimento, dell'astio, quella taciturna (la peggiore) e tante altre, come tra gli uomini, del resto.

La muga, o pino mugo, è la cattiva per eccellenza. Subdola di natura, cresce falsa e disonesta ed è anche rompiscatole. A differenza dell'agrifoglio, che tiene per sé la cattiveria come un vecchio lupo solitario, lei la dispensa a piene mani al prossimo.

Come tutti i vili sta con il branco e, al pari dei noccioli e dei sambuchi, trae forza dal numero. Provate a camminare in mezzo a un mare di mughe. Verrete percossi da infiniti colpi alle gambe e dopo un'ora lo spazio guadagnato sarà minimo.

Vive in alta quota. Di lei appare solo un ciuffo verde poiché nasconde il tronco sotto terra, dove si sviluppa anche per quindici metri.

Il cuore e il corpo li tiene nascosti per non doverli donare ad altri. Assomiglia a quel cauto miliardario che si finge povero e nullatenente per paura che un amico bisognoso gli possa chiedere dieci euro.

Se la stringi ti dà l'idea di affidamento e a volte

tiene. Ma se le stai antipatico, e in un pendio ripido ti aggrappi a lei per tirarti su, ecco che ghignando fa "crac" e ti molla di sotto.

È proprio una piccola delinquente, la muga. Crea figli bevitori il cui destino è annegare immancabilmente nella grappa. Da noi è ancora molto praticata l'usanza di raccogliere i germogli di muga nel mese di maggio e metterli sotto grappa. A dire il vero mettiamo anche parecchi altri frutti ad affogare in quel liquore: l'importante, diceva mia nonna, è avere la "sgnapa" (la grappa).

L'agrifoglio, invece, è superbo per se stesso e, a differenza della muga, te lo fa capire chiaramente. Non vuole né invecchiare né essere avvicinato, ma solo ammirato.

In pieno inverno, quando i boschi dormono e il terreno indurito dal gelo rimbomba sotto gli scarponi, quando la luna di gennaio illumina cieli grigi che comunicano il vuoto di lontananze siderali e la neve copre come un sudario le foreste e le morte foglie d'autunno, quando insomma la natura tutta sembra senza vita, ecco che, in mezzo a quel grande biancore silenzioso, l'agrifoglio schizza fuori sfacciato e prepotente come una risata sguaiata con il suo cespo verde intenso puntinato da una miriade di bacche rosso sangue. La sua presunzione è totale, sostenuta da un narcisismo sconfinato.

Sa che quella bellezza è dovuta anche alle foglie

LA MUGA E il SUO
CORPO NASCOSTO

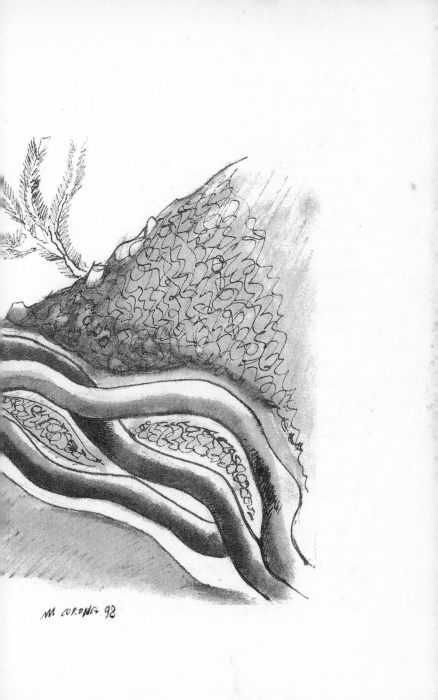

M CORONA 98

lucenti che lo coprono e non permette loro di andarsene via. Non possono allontanarsi, non possono trovare uno straccio di amica, non possono viaggiare nel vento. Devono stare sempre attaccate ai suoi rami a inghirlandare questo padre padrone, possessivo ed egoista.

Con il passare del tempo si inacidiscono come vecchie zitelle, così che il loro bordo, una volta liscio e regolare, diventa spinoso e arcigno. Un po' alla volta si sono impadronite loro stesse della cattiveria paterna.

Non si può vivere senza comunicare con gli altri, tenendosi tutto dentro, sepolti in una torre d'avorio protettiva e inavvicinabile. L'agrifoglio è come quei genitori che impongono un'unità famigliare forzata e innaturale, dove tutto deve stare rinchiuso tra le mura di casa. Da quel luogo usciranno, se ce la faranno a uscire, figli muti, cattivi ed egoisti. Gente che non potrà dare nulla, perché non è stata abituata a dividere l'esistenza con nessuno.

Un giorno d'agosto del '98 ho conosciuto una di quelle foglie inaridite. Era, dico "era" perché, anche se vive, dentro è morta da tempo, una ragazza splendida, con il volto immobile e duro di un totem. Non ho mai visto in un viso una così totale assenza di sentimenti. Un viso d'argilla, essenziale, dall'espressione indefinita, lontana, indifferente. Sulla scia della moda, quella ragazza era qui per arrampicare, ma, a dire il vero, non gliene importava nulla. Essere in Valcellina

LO SPLENDIDO
E TERRIBILE
AGRIFOGLIO

M. CORONA 98

o a New York per lei sarebbe stato lo stesso. Altera e assente, non lasciava trapelare la minima emozione. Una persona dall'encefalogramma piatto. Un innesto mostruoso tra acacia e muga. Usava un'auto da cento milioni che sembrava un'astronave e picchiava il Rolex d'oro contro le rocce senza scomporsi. Alla vista del Campanile di val Montanaja, un missile di roccia alto trecento metri unico al mondo, non disse nulla, come non l'avesse neppure notato. Non partecipava alle discussioni se non con qualche breve sorriso ironico, quasi di compassione. Cercai di farle bere qualche alcolico per vedere di scioglierla un poco, ma rispose che preferiva acqua non gassata. Una donna spaventosa e vuota, che faceva anche pena, poiché si capiva che non era colpa sua, bensì della famiglia di agrifogli da cui proveniva.

A differenza del pino, che dispone di un verde invernale equilibrato e affettuoso, un verde quasi addormentato, l'agrifoglio esibisce un verde spudorato. Come tutti i superbi e pieni di sé, viene accuratamente evitato. Gli artigiani e i boscaioli gli girano al largo, preferiscono usare un legno meno presuntuoso e più disponibile a farsi toccare.

Mentre l'agrifoglio fa vedere immediatamente la sua cattiveria, il sambuco, gracile e inutile, ma che nasconde progetti ambiziosi e violenti, la tiene nascosta come tutti i meschini. Dentro la sua tenera forza si cela una natura aggressiva e guerrafondaia.

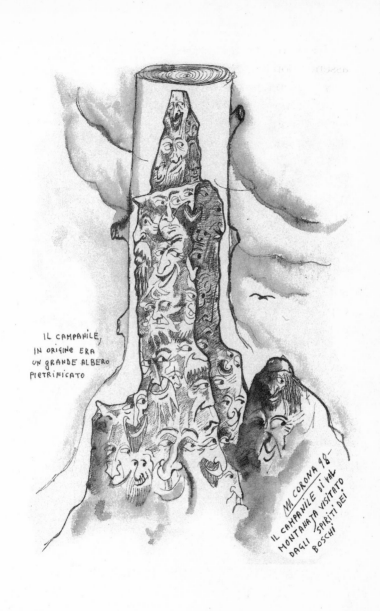

IL CAMPANILE,
IN ORIGINE ERA
UN GRANDE ALBERO
PIETRIFICATO

M CORONA 98
IL CAMPANILE DI VAL
MONTANAYA VISITATO
DAGLI SPIRITI DEI
BOSCHI

BANDA DI SAMBUCHI

Con il sambuco, i vecchi del paese fabbricavano per noi bambini fucili a elastico e cerbottane. Dai tondi e diritti bastoncini toglievano il midollo spingendolo fuori con un ferro da maglia, e la canna era pronta. Quel legno fragile e insignificante contiene in sé i pezzi per produrre le armi. Tutti gli usi che se ne fanno riportano a elementi di distruzione. Lo stesso soffietto per ravvivare il fuoco è un attrezzo che può dar vita a un incendio.

Occorre stare molto attenti ai sambuchi umani. Piccoli e friabili, sono molto cattivi e colpiscono a tradimento con armi subdole e nascoste.

Molti anni fa io e un amico coetaneo, Silvio Pinco (un metro e novanta per cento chilogrammi), scendemmo a Longarone intenzionati a fare festa. Eravamo un po' su di giri quando, entrati in un bar, incontrammo un sambuco piccolo e fragile, quasi un nano. Non era nostra intenzione fargli del male, ma cominciammo a prenderlo in giro irridendo le sue innocue misure fisiche. Accadde in un lampo. Ci trovammo tutti e due lunghi e distesi sul pavimento del bar, con il sambuchino che ci minacciava armato di una bottiglia rotta. Conscio della sua poca forza aveva consumato gli anni nell'esercizio delle arti marziali e, in quell'occasione, le aveva tirate fuori stendendoci come niente fosse. Ho fatto tesoro di quella lezione.

Sono teneri, i sambuchi! Con una strizzata di mano ne potresti uccidere un centinaio, ma devi sempre stare attento. Rompendosi, producono schegge affilate come lamette che ti possono dilaniare. Si sentono inferiori e come tali tengono il coltello in tasca pronti a farlo scattare senza il minimo preavviso.

Quando vedi un giovanotto che scippa una vecchietta, in quel momento hai conosciuto un sambuco.

Un albero che mi angoscia, procurandomi una strana inquietudine, è l'acacia. Mi impensierisce a tal punto che ne parlo sottovoce, quasi con paura.

Durissima, taciturna, solitaria anche se in gruppo, scontrosa e inattaccabile dagli attrezzi, è sicuramente pazza. È una donna che vive nella sua torre, difesa da lunghe spine acuminate. Una zitella altera e segaligna che non vuole ricevere né dare affetto alcuno.

Con lei ho avuto un unico rapporto di scultura. Cercai di lavorarla subito dopo averla tagliata, quando è un po' più tenera, ma per venirne a capo faticai non poco. In futuro non ho voluto più saperne di acacie.

Forse è così chiusa per via di antiche colpe che le rimordono. Non bisogna dimenticare quella sua lontana parente che fornì le spine per cingere il capo del Cristo. Gli uomini, che nella loro cattiveria superano tutte le piante e gli animali della Terra, adoperarono l'acacia per torturare la testa al Redentore.

Se da giovane parla poco, quando invecchia questa pianta diventa secca e muta. Ho conosciuto donne acacia e vi assicuro che sono inavvicinabili.

Da ragazzo me ne piaceva una molto bella. Sono

M. ORONA 98
ACACIA

belle, da giovani, le acacie. Quella aveva occhi che erano punture di spillo. Se fissava un palloncino lo faceva scoppiare. Tentai di conquistarla, ma fui ferito immediatamente e in maniera seria. Sono passati quarant'anni e, quando cambia il tempo, quella ferita mi fa ancora male. Lei continua a stare da sola e alla sera affila gli aculei rinsecchiti.

L'acacia è una donna perduta che rifiuta la speranza e la pietà, ma non si lamenta, e a sua difesa devo dire che non disturba nessuno. Per far rispettare il suo limite invalicabile mette delle spine che non sono i piccoli aculei della rosa, ma lunghi e acuminati coltelli.

Con lei non si fa nulla, tranne pali per recintare gli orti. Il mio vecchio amico artigiano, Sepp De Paol, che da tempo ormai passeggia nei boschi celesti, mi raccontò di aver costruito, una volta, il manico della scure in legno di acacia.

Era convinto che, per la sua durezza, potesse resistere all'infinito. Dopo aver tagliato un solo albero con quella manéra, si ritrovò le mani piene di vesciche. Lei non perdona: le sue fibre contengono gli acidi dell'astio e se l'accarezzi ti piaga la pelle.

«Non fare mai nessun manico d'attrezzo con l'acacia» mi raccomandò il vecchio Sepp.

L'acacia in fondo soffre, ma ormai vive al di là del punto di non ritorno e redimersi le è praticamente impossibile.

Quante persone nel corso della vita desideriamo avvicinare perché pensiamo che ci possano raccontare qualche cosa di interessante o qualche cosa di utile. Ma poi, nel loro sguardo, nelle loro reazioni, nel timbro della voce avvertiamo una decisa indifferenza nei nostri confronti, quasi una sopportazione che ci disarma e ci allontana. Costoro lasciano in noi un senso di rammarico e di sgomento che toglie ogni speranza.

L'acacia appartiene a questa categoria, non concede approcci a nessuno. Elegante e altera, pare una di quelle signore inaccessibili che ogni giorno prendono il tè delle cinque e leggono solo libri impegnati, prevalentemente saggi dai contenuti difficili. Ma in autunno l'acacia fa pena: nuda e sola comunica un senso di grande tristezza.

Il suo riscatto sta nel fuoco, l'unico che la può piegare e possedere. Solo a lui si concede e, in quell'estremo sacrificio, riesce per una volta a riscaldare finalmente gli uomini. Resiste all'acqua per anni. Dopo la morte lentamente si sbriciola e sprofonda nella terra. Solo allora il suo tormento può dirsi esaurito.

Vi sono legni che, piuttosto di spaccarsi e soccombere, preferiscono piegarsi e continuare a vivere. Un albero che non si rompe mai è il viburno lantana, da noi chiamato "révol".

Il révol è come un uomo saggio che ha capito la vita: sa che resistere equivale a essere infranti e allora, da buon opportunista, si piega per non farsi spezzare.

È un orgoglioso, ma, quando intuisce che il suo

orgoglio lo può rovinare, preferisce metterlo via e diventare malleabile.

Sottilissimo, quasi un virgulto, la sua anima è quella di una corda. Con lui venivano intrecciati gli spallacci delle gerle; attorcigliato su se stesso dalla mano dell'uomo, diventava una robusta fune per legare il fieno e i fasci di legna.

Nei tratti difficili, in montagna, gli uomini lo usavano come corda di sicurezza. Fissato attorno a qualche spuntone, serviva loro per calarsi o risalire dal passaggio cattivo. Anche con il nocciolo intorto si potevano ottenere corde robuste, tuttavia esso non era affidabile come il révol, perché ogni tanto, rompendosi all'improvviso, tradiva colui che lo usava.

L'esperto cacciatore Checco De Costantina, dovendosi confrontare con un passaggio strategico ed esposto, sulla parete nord di cima Laste, adoperava una "corda" di viburno per andare oltre e mettersi al sicuro dai guardiacaccia. Ci vollero anni a capire come quel bracconiere potesse sempre farla franca. Da allora, il mitico passaggio di cima Laste è chiamato cengia "dell'intorta", che significa appunto "del virgulto attorcigliato".

Il 25 luglio 1998 è tornato nella terra il grande abete bianco della val Zemola. Era un albero patriarca di enormi dimensioni, vecchio più di cinquecento anni. Alto e solenne, nel suo cerchio di solitudine, stava in piedi solo per equilibrio, poiché la vecchiaia

IL GRANDE CUSTODE
DELLA VAL ZEMOLA
CADUTO IL 25 LUGLIO 1998

M. CORONA
98

lo aveva ucciso ormai da molto tempo. Volevo bene al grande signore della valle.

Da bambino, quando facevo il garzone alla malga Pezzei, mi arrampicavo sui suoi rami, già secchi allora. Dalla cima potevo avvistare in lontananza le manze fuggitive. Era rimasto solo, simbolo orgoglioso di una dignitosa vecchiaia. Nonostante fosse morto, il corpo senza vita conservava tutto il prestigio della maturità e il carisma di un tempo.

Il suo fusto, colossale, slavato dalle intemperie, sembrava un'enorme statua di pietra bianca. Lo avevo visto in piedi il giorno prima. Il 25 luglio lo trovai disteso sulla terra. Nella caduta si era spezzato in due parti e i rami, spinti dall'urto tremendo, trafiggevano il suolo come enormi spine dolorose.

I tronconi di quel grande corpo spossato giacevano invece sereni e in pace, sorpresi dal sonno in una infinita stanchezza. Così è tornato alla madre il guardiano della valle, il testimone silenzioso, l'amico, il depositario di mille segreti.

Tra pochi anni il suo corpo sarà diventato humus e di lui non vi sarà più traccia. So che esiste il Paradiso anche per gli alberi, gli animali e tutto ciò che vive sulla Terra.

Quel corpo schiantato mi parlava del mondo lontano dove stava per andare. S'accomiatava con un gesto d'addio, un ultimo saluto prima di incamminarsi per i remoti sentieri del nulla. I suoi rami spezzati, come vecchie lancette d'orologio, ribadivano l'inesorabile passare del tempo e un'acuta nostalgia mi avvertiva che un altro pezzo della mia vita se n'era andato.

Nei nostri boschi l'albero possente, il signore del castello per il quale tutti nutrono grande rispetto, è l'abete bianco. È il vecchio protettore, colui che dal suo eremo, raggiunta l'età della saggezza, controlla tutto e tutti. Anche il nome, sereno e pacifico, lo aiuta. Avrebbe potuto chiamarsi in altro modo, invece si chiama abete bianco, nome che, a pronunciarlo, ti dà subito l'idea di una potenza controllata dall'equilibrio.

Alto e maestoso, si sviluppa largo e diritto. In altezza, può raggiungere anche i cinquanta metri. Da lassù parla con la luna, vede tutto e tutto sa.

La sua crescita è lenta e laboriosa perché deve apprendere la difficile arte del condottiero, del grande saggio che, imparziale come Salomone, appiana e dirime tutte le dispute del bosco sul quale regna.

Tale incarico è ereditario: lui riceve da suo padre il compito di vigilare con buon senso e, alla sua morte, consegnerà al figlio il controllo del reame. Questa continuità storica gli regala un grande fascino percepito da tutti gli alberi, che lo circondano di affetto. Difende le piante fragili, ascolta le confessioni amorose delle betulle, cerca di rendere umana, senza riuscirci, l'acacia. Pini, aceri, faggi, tassi, larici vanno da lui quando ci sono questioni da risolvere.

Protegge il frassino, che è il "diverso" del bosco, dagli insulti e dal sarcasmo dei duri maggiociondoli e carpini. Con scarso successo cerca di smuovere dall'indolenza i noccioli che, prigionieri della loro vigliaccheria, viaggiano da tempo, assieme ai sambuchi, su una brutta strada. La corteccia del signor abete è di colore biancastro, ma non il bianco della betulla. È una specie di bianco cinerino con screziature più scure. Nel suo interno dorme, racchiuso in piccole e morbide ampolle, un raro liquido incolore detto "lagrimo", miracoloso balsamo per le malattie dell'apparato respiratorio. Se accarezzate la corteccia dell'abete bianco, noterete delle lievi protuberanze grandi come mezzi fagioli. Schiacciandole con l'unghia del pollice uscirà il prezioso olio.

Quando eravamo bambini, mia nonna lo metteva nell'acqua bollente e ci faceva aspirare i vapori benefici per le bronchiti e le tossi che l'inverno immancabilmente regalava. Da ragazzi, giravamo per i boschi armati di siringhe a spillare con infinita pazienza il nettare dai generosi abeti. Per riempire un flaconcino impiegavamo diversi giorni.

La calma dell'abete bianco è solenne e tutti gli alberi, anche i più invidiosi e cattivi, lo accettano nel ruolo di grande controllore e padre. Non è però uno sterile applicatore di leggi e commi, bensì un sereno giudice di pace che dispone di grande sensibilità. È conscio della fallacia che alberga nell'animo dei suoi simili e, prima di emettere sentenze, cerca in ognuno di loro il lato buono.

Esercita l'autorità senza arroganza. Molti uomini che detengono il potere dovrebbero ogni tanto sedersi all'ombra di un abete bianco per ascoltare i suoi consigli e seguirne l'esempio.

Parecchi anni fa fui processato per un episodio di bracconaggio nel quale non c'entravo, anzi, di cui non sapevo assolutamente nulla, ma incappai in un giudice noce che, convinto della mia colpevolezza, mi dette pure del giovinastro in aula. Fosse stato un abete bianco, forse si sarebbe accorto che non ero colpevole, o quanto meno non mi avrebbe insultato in pubblico con quel titolo così spregiativo.

È così sentita l'importanza di quest'albero che gli stessi boscaioli non ne tagliano molti. Capita anzi di doverli proteggere perché, come tutti i buoni, spesso sono circondati dai "chiedenti favori", da questuanti e ruffiani: gentucola senza arte né parte, persone che camminano sempre in ginocchio. Costoro rischiano di non farlo respirare e allora i boscaioli li allontanano a colpi di roncola, creando attorno al fusto una breve radura.

Da vigile custode del bosco, l'abete bianco ha per tutti una riserva di attenzioni, ma dei più deboli e dei maltrattati si occupa con maggiore scrupolo. Verso il frassino, per esempio, la sua attenzione è vigile e continua, perché è un albero "diverso", perciò continuamente deriso e insultato.

Il frassino si può definire l'effeminato del bosco. Non cresce mai diritto, il suo tronco si sviluppa con movenze e curve inequivocabilmente femminili. Qualsiasi scultore, anche il più grezzo e insensibile, guardandolo scopre nella sua figura fianchi e seni di donna.

Come tutti i diversi è sensibilissimo e quindi procede attraverso la vita con grandi difficoltà. Non esiste un frassino privo di linee accattivanti, perciò, quando lo incontri, il primo impulso è quello di accarezzarlo. Ma le sue colpevoli forme le paga con gli interessi.

Viene deriso dai "veri uomini", quindi cerca di evitare, il più possibile, incontri con maggiociondoli e carpini, gente buona ma dura e maschilista fino al midollo, che non perde occasione di stuzzicarlo e dileggiarlo con sarcasmo.

Una volta levigato, le venature fanno risaltare ancor di più le sue curve femminee e, all'inizio dell'opera, non serve un particolare sforzo creativo per vederci dentro un'agile ballerina o un'elegante modella che sfila. Mai vedrete in un frassino goffaggini o brutture, ma sempre dolci sinuosità. Augusto Murer, che oltre a essere un grande scultore era anche un eccellente pittore, disegnava continuamente un suo vecchio frassino visto probabilmente in qualche radura.

I nostri nonni gli facevano recuperare la dignità di maschio usandolo per fare i paletti che sostenevano i supporti della slitta da carico. La slitta ertana era un rudimentale mezzo di trasporto merci. Veniva costruita assemblando diversi tipi di legno fra i

quali, guarda caso, il faggio – l'operaio, colui che si consuma nel lavoro – serviva per fare i pattini. Gli altri erano il frassino, la betulla, il nocciolo e il révol. Quest'ultimo trasformato in lunghi legacci che tenevano assieme il tutto.

Nonostante il corpo grazioso, il frassino è un legno duro e tenace, dal carattere buono e pronto a sopportare i pesi della vita. Nella costruzione della slitta si trovava a tu per tu con la betulla, sua amica e gran dama del bosco. Lui andava a formare i piedi di sostegno, lei i traversi portanti. Uniti assieme, costituivano un mezzo di eccezionale robustezza.

Loro due erano quelli che dovevano sostenere tutto il peso della legna caricata a volte in grande quantità. Ma il massimo sforzo lo faceva la betulla. Ed ecco riemergere ancora una volta tutta la forza della donna, legata al destino di dover sempre sopportare la maggior fatica e resistere al peso dei giorni con perseveranza.

Il frassino non raggiunge grandi altezze: quando gli va bene, arriva a quindici, venti metri. La corteccia grigio cenere con sfumature verdognole è liscia e gentile. Per come si presenta, quel legno suscita istantanea simpatia e viene quasi voglia di palparlo.

Molte volte ho accompagnato nel bosco persone che non avevano la minima dimestichezza con gli alberi, addirittura non sapevano distinguerli l'uno dall'altro. Per mia curiosità portavo costoro vicino a un frassino e scrutavo la loro reazione. Si avvicina-

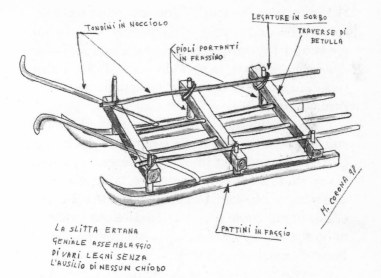

TONDINI IN NOCCIOLO

PIOLI PORTANTI IN FRASSINO

LEGATURE IN SORBO

TRAVERSE DI BETULLA

M. CORONA 9?

LA SLITTA ERTANA
GENIALE ASSEMBLAGGIO
DI VARI LEGNI SENZA
L'AUSILIO DI NESSUN CHIODO

PATTINI IN FAGGIO

vano alla pianta illuminati da immediata simpatia. Poi, immancabilmente, ponevano le mani attorno al tronco con delicatezza e accarezzavano istintivamente le sinuose curve.

Di notte, quando le tenebre sono più fitte e tutte le bestie dormono, nel bosco s'avvertono furtivi rumori. Faggi, pioppi, pini e altri alberi si muovono agitando le fronde. Vorrebbero avvicinarsi alla bella signora, per godere un poco della sua compagnia. Gli unici che non partecipano al corteggiamento sono il maggiociondolo e il carpino, che rifiutano di elemosinare sentimenti, il larice che se ne sta in disparte schivo e solitario, il frassino per motivi comprensibili e l'abete bianco che ha raggiunto, dall'alto della sua saggezza, la pace dei sensi. Tutti gli altri cercano lei, la bella dei sogni, la femmina per antonomasia: la betulla.

Alta, elegantissima, diritta, sempre perfetta nel suo abito bianco, la betulla è la regina del bosco. Quando il vento la incontra e la accarezza con soffi gentili, tutto il suo corpo si muove, ondeggia, danza e ti invita a ballare. L'abito bianco, maculato qua e là da piccoli punti neri, le conferisce una straordinaria eleganza. Pare sempre che sia pronta a uscire per andare a un ricevimento.

Riservata, ma conscia della sua bellezza, si fa desiderare e non concede facilmente le sue grazie. Non appartiene a quella categoria di donne che visibilmente ti fanno capire la loro disponibilità. Il suo desiderio, la sua scelta, i suoi gusti li devi intuire dall'impercettibile movenza delle fronde. E nemmeno allora sei sicuro che ti abbia detto sì. Sa di essere la prima donna del bosco e questo la rende un po' superba e vanitosa. Al mattino, mentre si specchia nella rugiada che bagna la corteccia dell'acero, pensa: "Però, siamo proprio belle noi betulle!".

Come tutte le donne, dietro un'apparente fragilità nasconde una tenacia, una forza di volontà e una resistenza insospettabili.

È capace di sopportare pesi immani. Le grandi fatiche della vita, che spezzano alberi alla vista ben più robusti, non la piegano neppure. Anzi, gli sforzi la temprano e, una volta assorbiti, ne esce ancora più resistente. È proprio per queste virtù che risulta l'unico legno adatto a fare i traversi delle slitte. Lei, assieme all'amico frassino, offre in quel caso all'uomo le migliori garanzie di durata.

All'interno del bosco ha un rapporto privilegiato con l'abete bianco, che si rivolge a lei per sondare gli umori, sentire i problemi, conoscere i desideri degli abitanti. Le sue fronde, mosse dal vento, sono antenne che segnalano al signore del bosco gli avvenimenti in corso.

Io, che di legni un po' ne capisco, quando vado in città le donne betulla le vedo subito: alte, eleganti, con un che di malizioso negli occhi, non si muovono mai a scatti. Noto anche molti uomini sambuco o noce (quanti noce ci sono in giro!). Vedo carpini e maggiociondoli e ogni tanto, ma assai di rado, passa qualche abete bianco.

La natura della betulla e l'educazione ricevuta le conferiscono sempre un pacato autocontrollo. Preferisce far capire il suo eventuale disagio con un lieve movimento delle fronde, dopo di che sta agli altri comprendere.

Neve, pioggia e vento mettono a dura prova il carattere degli alberi. La neve schianta i rami e le cime ai duri, a coloro che non vogliono piegarsi. La

NEL Bosco di BETULLE

M. CORONA
98

pioggia, se rada e petulante, sfida la pazienza dei più miti, se battente e violenta intimorisce i pavidi. Il vento, se arriva improvviso e obliquo, sconvolge la quiete del bosco e porta lo scompiglio tra le piante. In quel frangente la betulla la noti subito perché, nonostante le raffiche violente, non si muove a scatti repentini ma si piega dolcemente e mai tracciando angoli acuti.

Provate nel bosco, di notte, a battere violentemente le mani. Osserverete lo scatto irato e nevrotico del carpino, il sussulto del maggiociondolo, il brivido di paura del frassino e la rispostaccia dell'acero. In mezzo a quel trambusto provocato dal colpo a sorpresa, si distinguerà per discrezione e calma l'oscillazione della betulla, appena distolta dai suoi pensieri.

Un tempo, gli uomini del paese costruivano con la sua corteccia, che si può arrotolare come un foglio di gomma, le scatoline ovali per metterci il tabacco da fiuto. Il fondo e il coperchio di quei piccoli contenitori erano o di frassino o di acero; i bordi, invece, erano fatti esclusivamente con la corteccia della signora. Mia nonna comperava il Santa Giustina, un tabacco poco costoso e di scarso pregio ma che, una volta messo nello scrigno di betulla, dopo qualche giorno si impregnava di un raffinato aroma di essenza.

Le scatoline erano un gentile omaggio fatto dagli uomini alle loro donne che, allora, "tabaccavano" quasi tutte. Ricordo le narici di mia nonna trasformate in due crateri con i bordi sempre impolverati e

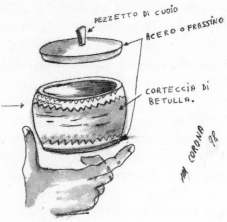

PEZZETTO DI CUOIO

ACERO O FRASSINO

LE SCATOLINE PORTA TABACCO →

CORTECCIA DI BETULLA.

MA CORONA 98

scuri a furia di aspirare tabacco. Da bambino avevo imparato a costruire quei graziosi contenitori e ancora oggi li so fare, ma, in questi tempi, la gente fiuta altre cose e le signore pretendono regali diversi.

Di betulla erano anche i bastoni che il pastore adoperava per spingere le bestie sui pascoli alti. Quei virgulti accompagnano il passo con fedeltà e si piegano dolcemente al ritmo del corpo che cammina. Con la corteccia si accende bene il fuoco, perché arde proprio come la gomma.

Tanto tempo fa, venne in vacanza da queste parti un mobiliere. Non è ben chiaro d'onde provenisse, forse da Brugnera o dalla Brianza, patrie indiscusse del mobile, di preciso non si sa. Sta di fatto che, come tutti gli imprenditori, anche lui non riusciva a staccare dal suo lavoro e persino durante le ferie pensava alla fabbrica. Per fare un po' di moto e respirare aria salubre, si mise a girare nei boschi. A un certo punto s'accorse di essere circondato da alberi. Chiuse gli occhi davanti a tutto quel ben di Dio e cominciò a calcolare quante panche, tavoli, armadi, letti e credenze ne poteva ricavare. Gli alberi, fiutato il pericolo, si strinsero tra di loro e tutti cercarono di farsi più piccini e di passare inosservati. Perfino la betulla smise di danzare e l'abete bianco, con grande difficoltà per via della mole, tentò di nascondersi meglio che poté. L'unico che volle farsi notare mettendo in bella evidenza i suoi pregi fu il noce. Buon albero il noce, ma, in quell'occasione, sempliciotto e vanitoso. Questo difetto decretò il suo destino.

Il mobiliere intuì la sua ambizione e lo mise sulla strada del potere. Pensò bene di sposare la vanità di lui con quella degli uomini e così dette inizio a una produzione vorticosa di tavoli in noce, librerie in noce, letti in noce, pipe in noce, cruscotti di auto in noce. E persino cravatte (non è uno scherzo: ho visto con i miei occhi, a Venezia, delle cravatte in legno di noce fatte da uno scultore).

Quando l'uomo cominciò a desiderare anche la cassa da morto in noce, il valore di quel legno aumentò a dismisura. Egli, che un tempo era un albero semplice e di poche pretese come molti suoi fratelli, inondato dal successo che la sciocca umanità gli aveva procurato, perse la testa. Giorno dopo giorno si trasformò e divenne arrogante, antipatico e indisponente.

Anche un mio amico, brillante avvocato ma che non brilla molto in sensibilità, fu colpito dalla mania del "noce nazionale". Un giorno mi portò a vedere la sua nuova libreria dimenticandosi, però, di mostrarmi il contenuto. Con lui avrei preferito parlare di libri, capire, da ciò che leggeva, le sue passioni, i suoi amori, le sue idee. Ma, oltre a una monumentale collezione di codici penali e civili, in quegli scaffali nuovi di zecca non c'erano altri libri se non i manuali del buon tennista, del perfetto velista, dell'ottimo golfista e un volume, se non ricordo male, su Garibaldi. Una cosa comunque mi fu chiara: amava il golf, la vela e il tennis.

Mentre riflettevo su tutto questo, l'amico, estasiato, picchiava le nocche sulle massicce tavole degli scaffali e, come un disco inceppato, continuava a ripetere: «Noce, solo noce, tutto noce».

Come sarebbero accoglienti e calde le librerie di cirmolo, che non sente il canto del tarlo ed emana un profumo di resine che dura secoli e preserva la carta dei volumi dall'azione funesta del tempo. Il potere e la fortuna del noce non sono frutto del suo lavoro o di un impegno costante e laborioso, ma solo il risultato casuale di una serie di buone qualità che, travisate, hanno reso ciechi gli uomini.

Mi viene da pensare a quelle soubrette famosissime e di talento zero capaci di far impazzire il mondo solo per le loro curve e che, in virtù di esse (le curve), sono venerate e idolatrate, tanto che ogni loro sciocchezza passa per un capolavoro di espressione verbale. Questo è il noce: un uomo normale con qualche bella curva di pregio reso celebre e potente dalla stupidità umana, al punto che è impossibile ormai fermare il suo arrogante cammino.

Ricordo, per restare ancora a quell'albero, due funerali. Distanti tra loro molti chilometri, erano morti due uomini nati nello stesso anno e seppelliti lo stesso giorno. Il primo era un noce. Diventato famoso per un incrociarsi di fortunate circostanze, fu scortato in cimitero da televisioni, giornalisti e un mare di finti piangenti. L'altro, un carpino, grande legnaiuolo dei boschi, uomo di infinita saggezza, una vita solitaria e laboriosa trascorsa nel silenzio delle selve ertane, fu accompagnato nell'ultimo viaggio da nemmeno venti persone. Eppure, diversamente che per il primo, quanto ho imparato e quanto bene mi ha fatto l'esistenza del secondo!

Sarebbe cosa intelligente che i potenti mezzi di comunicazione si preoccupassero, qualche volta, di fare conoscere anche i carpini e i maggiociondoli e non solo le betulle e i noci. Forse, da quelle umili piante, molte persone in difficoltà potrebbero trarre conforto, speranza e vantaggio.

Io lavoro il noce perché il nemico va sempre affrontato. Per quanto arrogante e antipatico, dispone comunque di parecchi pregi. Per esempio si lascia levigare benissimo e ha un bel colore marron, ma quanto si fa pregare!

Mi ricorda certe persone, che non mi piacciono, dentro le quali continuo a scavare nel tentativo di far uscire dei valori in grado di riabilitarle almeno un poco. Con alcune di queste il mio dialogo va avanti da anni. Non ne è ancora uscito niente, ma non dispero.

Anche le foglie del noce sono state colpite dal delirio di onnipotenza. D'autunno, non cadono come le altre in dignitoso silenzio, ma devono farsi notare. Hanno bisogno della platea, altrimenti si sentono zero. Allora, per attirare l'attenzione, scendono al suolo con rumorosi "croc croc", come cadessero pesanti cartocci. È il desiderio di apparire a tutti i costi. Anche nell'ultimo istante prima della morte vogliono fare rumore. Ma i suoni durano poco e la neve viene a coprirle come tutte le altre.

Il mio giudizio sul noce è confermato anche dall'odore. Provate a scalpellarlo, a segarlo, a usarlo insomma: il profumo che sprigionerà non sarà certo di vostro gradimento. È l'unico legno che conosco il cui olezzo ricorda quello dei gabinetti.

L'opposto del noce per carattere e stile è il larice, re dei costoni. È presente nelle radure, ma può anche crescere solitario, come una spina dolorosa

IL SOLITARIO LARICE DI COSTA PRADON

M CORONA 98

nel fianco del monte. Ha un nome ossuto e secco che ben lo rappresenta. Il suo colore interno, soprattutto nella parte più vicina alla terra, è rosso sangue con fiammature giallo ocra ad accenderlo. Non cresce proprio perfetto, ma leggermente curvo, e va su, molto in alto. È il nostro amico, il fratello maggiore. I montanari ne adoperavano i primi quattro metri perché sono i più forti e duraturi. Con lui costruivano tetti, solai, porte, finestre, panche, botti. Tutte le nostre case sono state costruite con il larice.

I vecchi cercavano quelli di maggior resistenza e, tolto l'alburno, ne adoperavano solo la parte interna, la rossa, che è indistruttibile. Vi sono due famiglie di larice, all'apparenza uguali ma in realtà un po' diverse tra loro. Quella degli agiati, composta da piante cresciute su terreno grasso, con comodità e benessere che le rendono leggermente più tenere e malleabili, e quella degli altri, che conquistano il diritto all'esistenza su terreni impervi e magri e, da noi, vengono al mondo sulle coste di Pradon e Porgait, o appesi ai picchi del Certen.

Questi ultimi erano i più ricercati perché ogni loro centimetro di crescita è figlio del sudore, della fatica di vivere, della stentata corsa agli alimenti. Tenaci e riservati, nobili d'animo e forti di carattere, erano i nostri naturali alleati.

I paesi della valle son fatti di sassi, anime e larici.

È l'albero che veglia sul sonno degli uomini. Nella costruzione delle case lo si impiegava per fare travi e solai e in virtù della sua posizione, sotto ai soffitti nelle camere da letto, egli assisteva e spiava la vita notturna della gente. Da lassù ha visto amori e notti inquiete, nascite e morti, sonno di bambini e pianto di donne. Vecchi che esalavano l'ultimo respiro rivolgevano a lui l'estremo sguardo. Sotto ai suoi occhi scorreva la vita più intima, molte volte con angoscia e dolore e, ogni tanto, con qualche gioia.

Per renderli ancora più resistenti alla raspa del tempo, dopo averli tagliati, sempre sul calar della luna, e poi squadrati, i travi venivano "passati" sopra la fiamma di un fuoco di carpino. La paura del fuoco, nemico mortale dei legni, e la sua carezza rovente, li faceva ripiegare su se stessi, come a proteggersi dall'attacco. Le fibre si compattavano ulteriormente e il trave bruciacchiato diventava di un colore nerastro come l'ebano e, di colpo, invulnerabile.

Essere toccati dal pericolo rende ogni volta un po' più forti, ma pure guardinghi e diffidenti. Le scottature più pericolose sono quelle ricevute da piccoli, poiché induriscono il carattere e fanno sì che l'animo di un bambino non si apra più.

Oggi, per fortificare i legni, si usano vernici sintetiche; allora, la saggezza del fare e del vivere utilizzava solo gli elementi primordiali: aria, terra, acqua e fuoco.

Alcuni anni fa in paese è stata ristrutturata la cara, vecchia chiesa del Seicento.

È una chiesa molto bella ormai quasi del tutto spoglia e abbandonata, sostituita da una nuova che sembra più una banca che un luogo di culto. Un tempo, tra i suoi muri si custodivano arredi antichi e immagini sacre impregnati di quell'odore misterioso che induce anche un ateo a mettersi in dubbio e a pensare che forse... Il pavimento era formato da grandi e spesse lastre di pietra provenienti dai Libri di san Daniele, sul monte Borgà. Solo una fede immensa poteva trascinarle fino in paese.

Ma un sacerdote ricco di cultura da discoteca, poco prima del Vajont, pensò bene di farle spaccare e di coprirne i pezzi con un impasto variegato di diverse plastiche che soffocò per sempre il respiro di quelle pietre. Non ancora pago, volle eliminare anche l'antica cantoria in legno scolpito: per questione di spazio, motivò. E, in un estremo gesto magnanimo, regalò il legname di risulta ai parrocchiani perché facessero fuoco. La vecchia Sepa de Gaio rifiutò il dono indignata. Non se la sentiva di dare alle fiamme la *sua* cantoria, dove il figlio Cango aveva suonato l'harmonium e cantato per quarant'anni. Volle però conservarne un pezzetto per ricordo e lo sistemò nella sua stanza, come una reliquia.

Con il trascorrere degli anni altri oggetti sono scomparsi misteriosamente, non si sa come (o forse si sa), fino a lasciare la vecchia chiesa quasi vuota.

Oggi rimangono solo le statue lignee di san Bartolomeo, la Madonna, sant'Antonio e su tutti veglia (ma per quanto ancora?), silenzioso, l'incomparabile crocefisso di Andrea Brustolon, inimitabile Michelangelo del legno nato a Belluno il 20 luglio 1662.

All'atto del restauro i travi del tetto, in larice "bruciato", erano perfettamente sani, come appena messi in opera, tanto che non sono neanche stati toccati.

Il larice è un albero onesto, generoso, dal portamento ottocentesco. In lui si sposano forma e sostanza.

Potresti affidargli nella più completa tranquillità i tuoi beni con la certezza che verrebbero non solo conservati con scrupolo e attenzione, ma anche restituiti. Non cerca tuttavia di imporsi e ti viene in aiuto solo su tua specifica richiesta.

La sua vita è lassù, in costa alla montagna, sentinella affettuosa dei suoi fratelli uomini.

A differenza del larice il pino ha chiesto al Creatore di essere preservato dalla vecchiaia, desiderio solo in parte esaudito. Il Padreterno infatti non ha donato al pino l'eterna giovinezza, ma gli ha concesso la possibilità di vestirsi di un abito verde anche nella cruda stagione. Ma lui non è arrogante e cattivo come l'agrifoglio e il suo vestito ha un colore pacato e riposante. D'inverno, quando tutto dorme e la natura si rinchiude in se stessa, i colori sfumano e si disperdono nella neve, il pino è sempre bello verde. Alle bianche distese innevate racconta la sua storia pacifica e tranquilla.

Per via dei suoi rami fitti e spioventi è diventato l'ombrello sempre aperto, la tettoia sotto la quale ti rifugi quando scoppia il temporale. È naturale cercare riparo sotto i suoi rami, perché comunicano qualche cosa di affettuoso e protettivo e la pioggia non riesce a penetrarli.

Se ti intrufoli sotto un pino, troverai anche una scorta di fiammiferi e un letto per riposare. Egli infatti depone a terra e preserva dall'umidità una quantità notevole di rametti minuscoli e barbe sottili, sempre secche e pronte per essere accese. Quei fuscelli consentono di fare fuoco nelle situazioni peggiori, anche nella neve, e di notte diventano un comodo giaciglio. Quanti sogni fatti nei bivacchi sotto i pini quando andavo a caccia con mio padre!

Una primavera in Bosconero, nella remota val Montina, io e lui dormimmo tre notti di seguito sotto un enorme pino, in attesa che il gallo cedrone venisse a cantare. All'alba del terzo giorno il grande maschio arrivò e mio padre lo tirò giù a pallettoni, mentre lo splendido volatile mandava alla compagna il suo messaggio d'amore.

Per questa generosa ospitalità, i pini mi ricordano un certo signore del tempo passato, benestante e altruista. Si spostava in Lancia Flaminia e, senza clamore, aiutava con donazioni i più bisognosi. Discuteva anche di politica, ma velatamente e tenendosene ben

IL PINO   M CORONA 98

lontano. Preferiva piuttosto fare atti di bene, piccoli ma concreti. Ho conosciuto questo signore quand'ero bambino e serbo di lui un grato ricordo. Ogni Natale ci portava un pacco pieno di cose buone. Alla sua figura scomparsa voglio dedicare l'anima del pino.

Il pino, presente in tutti i boschi di montagna, è un discreto dispensatore di buoni aiuti. Profuma di resina e da lui puoi ricavare dell'ottimo tavolame, da impiegare però solo all'interno delle case. È come un uomo di mezza età e va usato con prudenza, perdonando le sue piccole difficoltà fisiche.

È vulnerabile e bisogna proteggerlo. A differenza del larice, non puoi lasciarlo all'esterno, preda delle intemperie. Lui ti aiuta nel bosco ma pretende protezione e vuole stare dentro casa, altrimenti si rovina.

Forza e durezza le scarica nei rami. I suoi figli, infatti, ribelli al mite carattere del padre, sono inattaccabili da qualsiasi attrezzo. Sramare un pino è un'impresa che i boscaioli temono sempre. I rami mettono a dura prova il filo della scure, che ogni volta subisce danni. Le mitiche Müller austriache riescono ad assolvere l'impegno riportando solo abrasioni leggere. Una buona manéra la si può definire tale solo quando ha superato l'esame con i rami del pino e dell'abete bianco senza uscirne troppo malconcia. Mio nonno sosteneva che, oltre all'acciaio speciale, nel cuore della Müller ci fosse anche un'anima d'argento che permetteva di assorbire le vibrazioni.

Fino a pochi anni fa, il pino a volte veniva tortu-

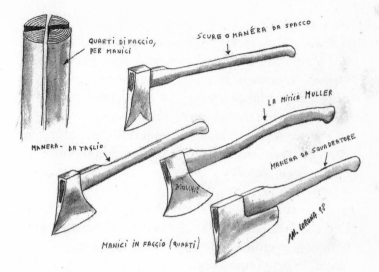

QUARTI DI FAGGIO, PER MANICI

SCURE O MANÉRA DA SPACCO

LA MITICA MULLER

MANÉRA - DA TAGLIO

MANÉRA DA SQUADRATORE

MULLER

MANICI IN FAGGIO (QUARTI)

M. LORONA 98

rato come san Sebastiano, ma sempre a fin di bene.
Nel primo metro del fusto si praticavano dei fori
con la trivella, sotto ai quali si appendeva un vaso
di vetro. Una volta forato il pino reagiva e, per cica-
trizzare la ferita, dopo qualche giorno faceva uscire colate di resina densa e gialla come caldo miele.
La resina del pino ha un valore medicamentoso, e
quando vi era del raccolto in esubero lo si vendeva
alle farmacie. È un dono della natura davvero speciale. Se ti rimane conficcata una spina sotto la pelle e non riesci a estrarla basta mettervi sopra un po'
di resina liquefatta e di lì a qualche giorno la spina

viene a galla. Una leggera pressione dell'unghia farà il resto. Troppi fori però possono uccidere l'albero. Nel tempo passato molti pini sono morti per offrire resina alla gente di montagna.

Vedere le grandi e pacifiche famiglie di pini dispiegarsi per le montagne in vaste distese verdi trasmette un senso di serena tranquillità. Si tratta di gente perbene, senza la quale un bosco non potrebbe dirsi completo.

Dal grande popolo delle piante vi sono anche coloro che se ne sono andati. Sono usciti dal bosco per emigrare in città e stare meglio. Rappresentano gli affetti, le cose buone della vita, e sono il ciliegio, il pero e il melo.

Con il passare del tempo hanno fatto le valigie e sono scesi a valle per seguire il destino degli uomini. Nel bosco sono rimasti solo i fratelli selvatici; loro, invece, hanno preferito mettere nella gerla ciliegie, mele e pere e trasferirsi nei giardini e nei cortili.

Anche molti ertani, quasi tutti, dopo il Vajont hanno imitato il pero, il melo e il ciliegio e sono scesi in pianura nell'illusione di stare meglio. Laggiù hanno costruito paesi nuovi con nomi e vie nuovi. Prima del disastro a Erto eravamo quasi tremila anime, oggi siamo poco più di trecento.

La montagna è selettiva. Se non sei ancorato bene, se non stringi forte l'appiglio, ti scrolla giù e ti fa rotolare verso il mare. Opera una selezione severa: chi resiste agli scossoni resta lassù, chi si stacca scivola via. Ma forse è solo una questione di sensibilità. Se osservate i conoidi nei ghiaioni di montagna noterete che le pietre più grosse e grezze, quelle dalle forme più grossolane, stanno in fondo, sono rotolate giù, mentre la ghiaia fine, quella sottile e raffinata, è rimasta in alto, dove nasce la roccia.

Buoni d'animo e dal temperamento mite, questi alberi possiedono un corpo caldo e un colore che comunica affetto. Il ciliegio, in verità, ha un carattere un poco superbo, ma bisogna dire che è anche l'albero dei sogni e degli amori.

Forse per il suo color rosa intenso con fiammature scure e per il suo legno odoroso di fresco, il Creatore gli ha affidato un compito speciale nei paesi della valle. Lo ha incaricato di contenere come in uno scrigno protettivo l'amore e il sonno degli uomini. Da noi, nonni, genitori, bambini, generazioni intere hanno dormito e si sono volute bene in letti di ciliegio.

In un letto di ciliegio sono stato concepito anch'io e così pure i miei fratelli. E nella stessa alcova era nato mio nonno e i suoi figli e altri ancora. Credo che quasi tutti gli abitanti del paese, fino al giorno del Vajont, abbiano visto la luce in letti di ciliegio. Mi piace pensare che, proprio in virtù del colore di quegli antichi talami, le storie d'amore vengano definite "rosa". Quanti sogni pieni di speranza ho fatto da adolescente nel mio lettino di ciliegio e quante ragazze ho immaginato accanto a me sul paglione di foglie!

Ma nel '63 esplose il miracolo economico e proprio come una bomba venne a distruggere per dare la possibilità di sostituire. Apparvero la cucina americana e i letti di metallo con la radio infilata dentro. Tutti quei nuovi oggetti brillavano in maniera accattivante e la gente scoprì di colpo che le umili cose di legno esibivano ormai da troppo tempo il monotono colore della consuetudine.

La novità, il mai visto, anche quando lo si intuisce sciocco e banale, ha la capacità di abbagliare e accecare l'individuo, a meno che non sia molto accorto. Le cose vecchie alla lunga diventano abituali, a furia di vederle stancano e si vorrebbe cambiarle. Ma attenzione! Occorre raffinata sensibilità per non rischiare di buttar via un tesoro e sostituirlo con un sacco di spazzatura. Su tutto, comunque, dovrebbe vigilare l'affetto personale verso gli oggetti di casa che hanno accompagnato le famiglie nel tempo. Invece, quasi sempre scivoliamo nel miraggio del nuovo e buttiamo via il "troppo visto" salvo poi, quando ci accorgiamo di aver preso un granchio, correre ai ripari nell'affannosa ricerca di cassepanche, credenze, vecchie radio e letti antichi.

Anche mia madre fu attratta come una cornacchia da quel luccichio e, in nome e per conto della modernità, pensò bene di bruciare tutto ciò che sapeva di vecchiume. E mise al fuoco pure i letti.

Distruggere un oggetto che per anni è stato toccato, maneggiato, usato, che ha sentito il respiro della casa, che ha registrato e condiviso i sentimenti degli uomini, è un delitto imperdonabile. Quella cosa non è più un oggetto inerte, ma ha acquistato vita propria, come un compagno di viaggio che ha vissuto con noi. È diventato uno di famiglia e gli si devono rispetto e riconoscenza.

Ho cinquantotto anni e nostalgia del mio lettino!

Il rosa pallido del ciliegio aiuta gli affetti e i suoi frutti alimentano il desiderio. Le rosse e turgide ciliegie, infatti, completano l'erotismo di questo albero.

Gli uomini, mai contenti di quanto madre natura offre, hanno iniziato a forzargli la mano e tramite innesti sempre più ricercati lo hanno costretto a fabbricare frutti grossi e appariscenti oltre misura. Che differenza di sapore, però, dalle piccole ciliegie selvatiche!

Io uso spesso il ciliegio per le mie sculture, ma è un legno che contiene tanta acqua; perciò, asciugandosi, si crepa con facilità e produce fessure molto larghe. Lo stesso Murer, che lo adoperava di frequente, era assillato dagli spacchi che quel legno avrebbe poi creato nell'opera.

Mentre il ciliegio stimola i sentimenti, il pero e il melo sono maestri d'asilo. Hanno sempre a che fare con i bambini, tanto che diventano i loro educatori.

Sono alberi che vivono per dare pace e serenità.

CROCEFISSO
DENTRO UN MELO
A TRE RAMI E, A DS.
PRIMA SBOZZATURA

CORONA 98

Non sono pionieri, non cercano l'avventura ma si accontentano di una vita quieta negli orti, nei cortili o nei giardini. Dove l'uomo costruiva la sua casa, prima o dopo arrivavano il pero o il melo.

Per loro i nostri vecchi nutrivano un sacro rispetto. Tagliavano spesso il ciliegio, ma il melo e il pero quasi mai. Nelle parche mense dei montanari le pere e le mele avevano molta importanza. E guai a quei ragazzi che osavano rubare i frutti sugli alberi di altre famiglie. Rischiavano severe bastonate e, nei casi peggiori, anche un colpo di ronchetto.

Ricordo un'estate lontana, quando assieme all'amico Franco, ormai da tempo tornato nella terra, attraversai il lago del Vajont su una rudimentale zattera di tronchi per andare a rubare le pere in un piccolo ma ricco frutteto sui prati di Marzana. Ci eravamo muniti di un tascapane poiché volevamo rubarne una buona quantità. Era l'imbrunire quando iniziammo il raccolto, arrampicati entrambi sullo stesso albero.

A un tratto, Franco notò i cespugli della siepe muoversi e intuì. Fece in tempo a saltar giù e dileguarsi, non prima di aver schivato con uno scatto la roncola del padrone. Io rimasi lassù, tra i rami, mentre di sotto, sul prato, il proprietario agitava in aria l'arma e con voce terribile ripeteva: «Uncùi to su mort» (Stavolta sei morto). Io, in alto, mi sentivo al sicuro; il problema era scendere. Ma visto che, stando alle sue parole, forse dovevo morire, come ultimo desiderio pensai di continuare a mangiare le sue dolcissime pere senza dimenticare di tirargli i torsoli in testa. A quel punto smise del tutto di ragionare. Sembrava un cinghiale ferito. Girava come impazzito attorno alla pianta, urlava e bestemmiava e ogni tanto piantava con ferocia la roncola nell'erba come se in quel punto ci fossi io.

Stava per venire scuro, quando Franco ebbe il colpo di genio. «Parécete» (Preparati) mi urlò, dal punto in cui si era nascosto. Nella poca luce che restava, lo vidi attaccarsi ai rami di un altro pero poco distante e far finta di salirvi per rubare i frutti. L'energumeno mollò per un attimo il mio assedio e si scagliò come una furia verso l'amico che nel frattempo, ottenuto ciò che voleva, era già saltato giù e sparito. A me bastò quell'attimo per saltare a mia volta e dileguarmi.

Per diverso tempo evitammo accuratamente di incontrarci faccia a faccia con l'uomo delle pere. Poi ci fu il Vajont e io finii in collegio. Mai però dimenticai la ferocia di quell'uomo. Quando tornai dalla prigionia degli studi, anzitempo interrotti, avevo diciotto anni e letto parecchi fumetti di Tex Willer. Un giorno in paese incontrai il cerbero e, ricordandogli l'episodio lontano delle pere, lo provocai apposta con qualche leggero insulto.

Quell'istinto suo bestiale tornò subito a galla ed egli attaccò. Ma questa volta non ero sull'albero e avevo ormai buone braccia e, forse complice Tex, parecchia voglia di vendicarmi. Così, dopo quasi sei anni, pareggiai il conto e lo stesi.

Il pero e il melo, con grande bontà d'animo, si sono sempre prestati ai giochi d'infanzia e sono diventati i giocattoli e i maestri dei bambini. Su questi alberi si saliva, si giocava, si parlava. La loro conformazione fisica ci accoglieva senza sforzo. Prima del Vajont noi ragazzi vivevamo quasi più sugli alberi che sulla terra. Eravamo diventati scimmie umane e quel continuo allenamento degli arti me lo sento ancora addosso.

Ricordo con nostalgia il pero e il melo nel cortile della mia casa, a Erto Vecchia. Su quegli alberi ero cresciuto e avevo trascorso la mia infanzia. Li avevo amati e rispettati come fossero stati miei fratelli. Ma una primavera si stancarono di vivere e mio padre, reputandoli ormai cose inutili, li tagliò nonostante le mie preghiere. Cosa pagherei oggi per avere un pezzo di quei tronchi e farne una piccola statua da donare ai miei figli!

In scultura, il pero e il melo si rivelano eccezionali per via della compattezza e dell'ottima pulitura che concedono.

Il colore marroncino chiaro, quasi rosa, del pero fa sì che l'opera scolpita sembri di carne viva mentre il melo, con il suo grigio caldo, comunica senza tentennamenti la saldezza degli affetti.

Nell'equilibrio del bosco, dove i cattivi si alternano ai buoni, i saggi agli stupidi, i belli ai brutti, gli utili agli inutili, anche il tiglio rivendica la sua posizione.

Quasi fratello del pioppo, è solo un po' meno disgraziato. Sembra abbia avuto la fortuna di incontrare una donna che lo ha lavato, vestito e profumato. E gli ha insegnato a tenersi bene. Ma lui, per uscire dalla sua non troppo brillante condizione, ha voluto esagerare e, siccome non è un raffinato, è caduto nella trappola della banalità. In primavera si spruzza addosso tanto di quel profumo che se ci passi vicino ti viene il mal di testa. Anche il suo vestito rivela scarsa dimestichezza con lo stile e l'eleganza. Vuol seguire le mode, ma lo fa sempre in ritardo; perciò veste abiti vecchi e appariscenti che lo rendono ridicolo. Rinnega in ogni modo la parentela con il pioppo e per riuscirci si circonda di oggetti superflui che, secondo lui, dovrebbero donargli stile e autorità. Quanto è ridicolo il tiglio! Sembra uno di quei tipi che al bar, con il telefonino appeso alla cintola, aspettano sempre una chiamata per far vedere al mondo che anche loro esistono.

Mille volte meglio il pioppo, che non recita parti fasulle e accetta ciò che è.

Come tutti coloro, e sono tanti, che hanno un rapporto contrastato con l'educazione, il tiglio sbraita, spinge, sgomita e si fa avanti senza il minimo rispetto verso il prossimo.

Sul piano umano vale molto di più suo fratello il pioppo che, segnato dalle disgrazie, dal male di vivere e dal dolore, ha conservato comunque una sua

M. CORONA 98
Abbattimento di un albero secco
a manéra

precisa identità. Stimo di più l'agrifoglio con la cattiveria chiara e ben definita che lo contraddistingue, che questo "semiarrivato" per il quale, lo confesso, provo la più assoluta pena.

Nella fabbrica della vita, mentre i faggi avvitano bulloni, lui, che è sempre pronto a dire di sì al padrone per ottenere privilegi, s'è conquistato il posto da guardiano.

Con mille sotterfugi ha acquistato una macchina usata, ma lussuosa, per farsi credere ricco. Ciò lo rende ancora più ridicolo, perché i poveri la loro miseria ce l'hanno scritta in faccia, indelebile come i segni del vaiolo. Per decenza, vi risparmio quello che dicono su di lui i suoi concittadini del bosco.

Come tutti i finti, quando incontra l'abete bianco china la testa e diventa servile, salvo poi sfogarsi con i più deboli e sfortunati. La betulla, alla quale ha rivolto le sue precise attenzioni, lo guarda con quella sottile ironia mista a un sorriso di compassione che fa capire tutto.

Il corpo del tiglio cresce in fretta, ma la sua carne è debole e la manéra entra ed esce da lui con estrema facilità. In virtù della sua pasta tenera molte volte, quando manca il cirmolo e non si hanno sottomano altri legni, viene adoperato anche per le sculture, ma solo in casi di bisogno estremo. Trentacinque anni fa, agli inizi della mia carriera di scultore, non avevo soldi per comperare i cirmoli. Un intagliatore di Erto che conosceva la mia passione mi segnalò la presenza di un tiglio cresciuto sotto il ponte Daltin, sospeso sul baratro a più di cento metri d'altezza. «È un legno tenerissimo» mi disse, «che va molto bene.»

Il giorno dopo armeggiai con le corde, mi calai nell'abisso, ancorai l'albero e, sospeso a testa in giù come un pipistrello, cominciai a tagliarlo. Fu un'avventura pari a una scalata dolomitica. Con l'aiuto dell'uomo che mi aveva suggerito tale impresa, issai il tronco sulla strada. A quel punto, l'intagliatore mi chiese se potevo darne una metà anche a lui. «Pagandolo» concluse, «naturalmente.» Poi candidamente confessò che erano mesi che quel "tajar" (tiglio) gli faceva gola, ma non aveva né il coraggio né le capacità tecniche per calarsi giù a recuperarlo. Lo accontentai. Con la mia parte scolpii delle madonnine che però, ricordo, risultarono leggere e inconsistenti come fossero di sapone. Coloro che vivono di apparenze non possono avere fondamenta forti e compatte o un'essenza solida e sicura. Sono come fatti di cartone. Ingannevoli nella facciata, da lontano sembrano brillanti e sicuri, ma alla prima battuta si rivelano deludenti e noiosi. Sono i tigli!

Che differenza di semplicità e serietà fra il tiglio e il cirmolo! Eppure profumano entrambi.

Il cirmolo assomiglia un poco al pino, ma con foglie aghiformi molto più scure; anche la corteccia è più scura e ruvida. All'apparenza sembra un albero ombroso e taciturno, invece possiede un'indole buona celata da un vivere sereno e tranquillo. Rappresenta la domenica del bosco, il giorno di festa, la giornata del riposo e del sorriso.

Il suo corpo è un contenitore di resine dagli effluvi straordinari. Profuma così intensamente (ma non fastidiosamente come il tiglio) che neanche il tarlo, terrore di tutti i legni, riesce a penetrarvi. Superata appena la corteccia, deve arrendersi e scappare ubriaco: le resine odorose lo stordiscono fin quasi a farlo svenire. E allora fugge via, a cantare la sua canzone in seno ad altre piante. Il pino cembro, detto comunemente cirmolo, è uno dei rari alberi nelle cui stanze il tarlo non può entrare a fare i comodi suoi.

Annusando un tronco di cirmolo si comprende quanto sia importante la vita sulla Terra. C'è tutto in quell'odore: la montagna, il mare, i deserti, la voglia di vivere, la semplicità. Appendi un ramo di cirmolo in una stanza e ti porti in casa il bosco. Aspirane l'effluvio e sarà medicina per i polmoni. Chiuso tra i muri il profumo dura per molti anni.

Quando andavo a trovare Murer, a Falcade nell'Agordino, appena varcata la soglia del suo studio venivo colpito da un amato odore di resine. Lo emanava una scultura posta sul primo giro di scale. Si trattava di un bassorilievo in cirmolo datato 1959. Quando nel 1985 il grande maestro morì, quel profumo era ancora là, e sono sicuro che lo si sente anche oggi. Augusto Murer non era sciocco come molti

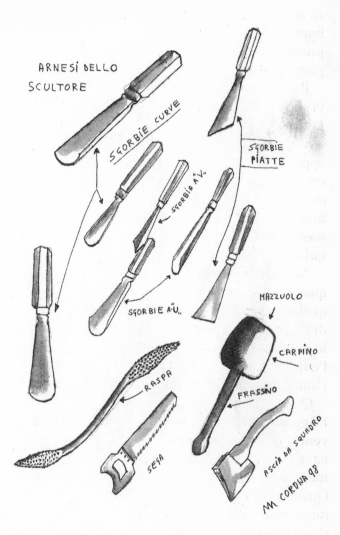

ARNESI DELLO SCULTORE

SGORBIE CURVE

SGORBIE PIATTE

SGORBIA A "V"

SGORBIE A "U"

MAZZUOLO

CARPINO

RASPA

FRASSINO

SEGA

ASCIA DA SQUADRO

M CORONA 98

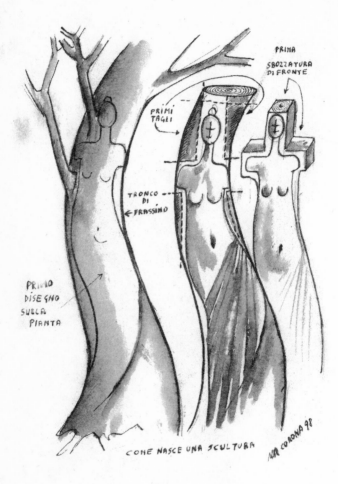

PRIMO
DISEGNO
SULLA
PIANTA

PRIMI
TAGLI

TRONCO
DI
← FRASSINO

PRIMA
SBOZZATURA
DI FRONTE

COME NASCE UNA SCULTURA   MR CORONA 98

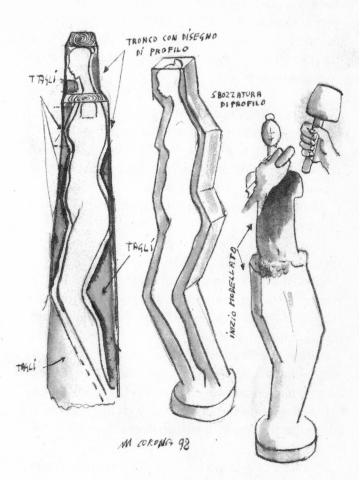

TRONCO CON DISEGNO
DI PROFILO

TAGLI

SBOZZATURA
DI PROFILO

TAGLI

TAGLI

INIZIO MODELLATO

M CORONA 98

sprovveduti falegnami, scultori o mobilieri che coprono l'anima del cembro con vernici sintetiche o colori. Lui al massimo faceva brillare il legno con un po' di cera d'api, ma non soffocava mai il respiro dei suoi alberi.

Da noi il cirmolo è molto raro. I primi gruppi consistenti si trovano nella val di Zoldo e poi via via verso Cortina, la Pusteria e l'Austria. Come i raffinati ama le posizioni alte. Vive tra i milleottocento e i duemila metri e l'aria fine della montagna lo ha pulito e mondato dal superfluo, impregnandolo di essenze odorose.

È un legno eccezionale per fare sculture. Forse il più usato di tutti. Tenero e pastoso, compatto e docile. La sua vita in passato è stata messa in serio pericolo. Proprio in virtù delle sue doti superiori ha quasi rischiato l'estinzione. Nelle valli dolomitiche, infatti, era usato tantissimo da scultori e mobilieri, che favorirono fino a poco tempo fa abbattimenti sconsiderati. Per fortuna ora è protetto da una legge speciale che ne regola rigorosamente il taglio. Se fosse scomparso, avremmo perso la domenica del bosco, il suo profumo, la sua preziosa compagnia.

Se nella vita ci si innamora, credo che questo sentimento possa essere rivolto anche a un albero. A me è capitato con il cirmolo. Sono contento quando in autunno ammucchio nella mia bottega una scor-

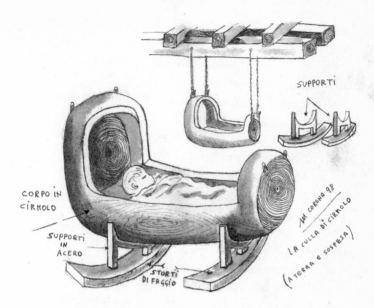

SUPPORTI

CORPO IN
CIRMOLO

SUPPORTI
IN
ACERO

STORTI
DI FAGGIO

IN CORONA 98
LA CULLA DI CIRMOLO
(A TERRA E SOSPESA)

ta di tronchi, pronti per essere scolpiti. Ogni giorno mi tengono compagnia e per tutto l'inverno ne aspiro il buon profumo e così anche in seguito, quando sono diventati sculture.

Forse tutto questo affetto proviene dal mio inconscio. Da neonato, mi informò anni dopo la nonna, respirai parecchi mesi gli effluvi di una culla di cirmolo. L'aveva portata mio nonno dalla val Gardena a quel suo primo nipotino. Per motivi di spazio fu appesa con quattro funicelle ai travi del soffitto e stava per aria a un metro da terra. Con una piccola spinta potevo oscillare diversi minuti senza bisogno di impegnare i famigliari a dondolarmi. Probabilmente la posizione di quella culla decise anche il mio destino di alpinista. Ero appena nato e già mi trovavo sospeso sul vuoto.

Il cirmolo ha raggiunto la serenità interiore e non fa baruffa con nessuno e con nessuno si intriga. Questo equilibrio gli consente di non essere invidiato e neanche criticato. Persino il più bieco denigratore non riesce a trovargli qualche difetto sul quale "lavorare".

La sua presenza costituisce per tutti un piacere. Anche l'abete bianco, signore degli alberi, è conscio dell'importanza del cirmolo. In caso di malattia, sa di poter affidare a lui il compito di vigilare sul bosco ed è sicuro che al suo ritorno gli restituirà la città delle piante in perfetto ordine.

Vi sono presenze, in natura, importanti per la nostra vita e, molte volte, non ce ne rendiamo conto finché non vengono a mancare. Un amico, un bosco, gli animali non possono scomparire senza lasciarci una profonda, angosciosa tristezza. E allora perché incendiare i boschi per sfogare solamente meschine vendette? Non esiste sulla Terra nessun motivo che possa scusare l'incendio doloso di un bosco. Reputo tale azione grave come un omicidio, se non peggiore. E andrebbe punita di conseguenza.

Ma torniamo al nostro cirmolo.

Resiste bene ai venti, e la neve, che alle alte quote scende su di lui in grandi quantità, non riesce a spezzargli le braccia come a molti suoi fratelli.

Sotto il peso delle forti nevicate, il cirmolo piega i rami fino a terra e, in quel movimento arrendevole, scarica la neve per riprendere la posizione originale.

Credo che, osservando lui e qualche suo simile, siano nate certe arti marziali in cui la forza del nemico viene dissipata proprio grazie a movimenti di ripiego. Come il viburno e la betulla, il cirmolo ha capito che non vale la pena di impuntarsi e combattere una battaglia già persa in partenza. È un mite, ma non per paura, per saggia esperienza.

Incontra un cirmolo e il sorriso accompagnerà la tua giornata. Quanta gente che alla domenica va nei boschi a consumare il picnic non trova il tempo per guardare le piante. Basterebbe che spegnessero le radioline, si sedessero di fronte a un albero e lo fissassero per dieci minuti soltanto. Sentirebbero qualcosa di buono nascere in loro, come una schietta simpatia che s'affaccia improvvisa nei confronti di un amico. E alla sera tornerebbero a casa soddisfatti, con dentro la segreta complicità che lega due compagni d'avventura.

Io il cirmolo lo sento molto amico. È l'albero che aiuta i miei giorni in attesa che giunga, come mi disse un giorno Claudio Magris, «lo scacco finale».

E ora parliamo di lei, la massaia, quella che lo scultore Marino Marini avrebbe definito "Pomona". È la quercia, donna che ha condotto la famiglia in porto e poi s'è rilassata. I suoi figli si sono sistemati e hanno trovato un impiego e lei ormai se ne sta tranquilla e soddisfatta.

Alta, grossa e sempliciotta, sembra una chioccia sempre intenta a tenere i pulcini sotto le ali. Preoccupazioni e ansie l'hanno abbandonata da tanto, ma l'hanno pure sfiancata e resa pesante, con le forme dimenticate dal tempo.

Di scarsa cultura, è un po' banalotta e provinciale. Nel bosco sembra una di quelle matrone da cortile – le mani ai fianchi e il grembiule unto – che parlottano con le comari di tutto e tutti, e sanno in anticipo, di questa o quella ragazza, che sta per diventare madre, o della tal sposa che se la intende con l'amico.

Non ha picchi di emozioni e sta lì a registrare gli avvenimenti, che riferisce con bigotteria e quel senso dello scandalo tipico di chi non può più commettere certi peccati.

Quando è stata scelta a simbolo di un partito gli alberi del bosco hanno sghignazzato ironici e divertiti. Ma poi, ritornati seri, hanno commentato il fatto e sono arrivati alla conclusione che coloro i quali decidono di usare un albero come simbolo politico, prima dovrebbero fare i boscaioli a Cellino almeno un paio d'anni.

Un po' di allenamento boschivo aiuterebbe anche chi ha tirato in ballo l'albero dell'ulivo. L'ulivo è un albero serio, dal dolore contenuto e dignitoso e dalla sofferenza non gridata. Non ama il chiacchiericcio salottiero, le assemblee, le tavole rotonde. Vive del suo passato doloroso e non parla di un radioso avvenire o di un ricco futuro. L'ulivo va rispettato e non usato in politica. A tale scopo, consigliano gli alberi, si potrebbero semmai impiegare le bestie: aquile, orsi, camosci, cinghiali, lombrichi e via dicendo.

L'ulivo non vive nel mio bosco, ma per l'affetto che provo nei suoi confronti devo parlare anche di lui.

È un albero nobile, bello e disperato. Cresce nutrendosi di un dolore antico, che lo deforma e lo contorce in curve impressionanti. Per vedere una galleria di sculture tribolate e assurde basta andare dentro un uliveto e osservare. Si potranno scorgere processioni dolorose di uomini e donne che soffrono in silenzio. Il loro pianto non è gridato. L'ulivo non vuole attirare l'attenzione, anzi, cerca di nascondersi il più possibile. Ma non ce la fa. Le sue forme lo tradiscono e anche un bambino noterebbe in esse qualcosa di terribile, di tragico e di drammatico.

Un Natale di qualche anno fa andai a Matraia, vicino a Lucca, per trascorrere qualche giorno con Andrea Gobetti, un caro amico, forse uno dei pochi che ancora mi rimangono. La sua casa, un vecchio frantoio ristrutturato, sta a mezza costa, su un pendio pieno di ulivi. All'uscita dall'ultima curva rimasi folgorato alla vista di quella selva di braccia alzate, di corpi spezzati, di schiene contorte, ma, non di me-

ULIVO DI
MATRAIA
M. CORONA 48

no, mi colpirono la pace e la serenità che trasmette-
vano quegli alberi. Aleggiava, lì dentro, una solenne
serietà avvolta da un misterioso silenzio, che incu-
teva rispetto. Ciò che mi impressionò di più fu che
quegli ulivi, nonostante il corpo stravolto, bugno-
so, avvitato su se stesso come in preda a contorsioni tremende, conservavano un'eleganza, uno stile e
un equilibrio mai riscontrati in nessun altro albero.

Poi, Andrea mi portò nella legnaia dove riposa-
vano accatastati un centinaio di stupendi tronchi
d'ulivo. «Sono morti per una forte gelata nell'inverno passato» mi disse. «Prendine quanti ne vuoi, è un
peccato bruciarli tutti, potresti cavarne delle sculture.» Forse non si rendeva nemmeno conto del regalo
che mi stava facendo. Ne caricai un intero camion e
me li portai a Erto.

L'ulivo è un legno durissimo, ma non resistente.
È come il vetro, che non lo attacchi con nessun utensile ma se gli dai un colpo si frantuma.

A causa della sua millenaria sofferenza l'ulivo si
è indurito nel corpo, ma nello stesso tempo da quel
corpo le fibre si sono come divise e separate, ognu-
na per proprio conto. Hanno perduto l'unità, sono
diventate assenti e vitree. Vedere un ciocco di ulivo
pieno di nodi, contorcimenti e gibbosità fa pensare che spaccarlo sia incredibilmente difficile. Invece non è così. Basta lasciare cadere la scure a peso
morto, senza nemmeno imprimerle forza, e il ciocco si fenderà in due come niente fosse. Il dolore sop-

ULIVI DISPERATI
A MATRAIA

portato in silenzio rende forti nello spirito, ma anche fragili, disinteressati alla vita e privi di ogni difesa. Per questo il freddo lo uccide con facilità. L'ulivo si lascia rompere senza opporre resistenza e questa sua caratteristica agevola enormemente il lavoro di chi lo usa. Ma ciò non basterebbe a fare di lui, assieme al cirmolo, il mio legno preferito.

È la voce lunga dei suoi anni, che parla come un libro aperto, a operare il miracolo. Le venature che escono dagli anelli di crescita sono una chiara e limpida scrittura. Dentro a quelle righe scorrono storie tristi, di dolore e sofferenza, ma raccontate sempre pianamente, con dignità e senza toni drammatici o tragici. Una scultura di ulivo, levigata e passata alla cera d'api, distoglie quasi l'osservatore dai volumi in essa contenuti per farlo concentrare unicamente sulle fughe dei segni, delle linee contorte e misteriose che la percorrono. Non si può, con un tronco di ulivo, a meno di innaturali forzature, scolpire figure allegre, sguaiate o ridanciane. Lui stesso ti suggerisce cosa vuole diventare. E non sarà mai una figura banale o dal sorriso facile. Grande legno l'ulivo, generoso come nessun altro. Nel fuoco s'accende immediatamente, anche appena tagliato, e brucia con una fiamma forte e viva che senti subito amica.

Il giorno delle Palme, mia nonna faceva incetta di rametti d'ulivo che il prete portava in grandi quantità nella chiesa di Erto. Quando si scatenava un temporale particolarmente violento, ne bruciava uno per scongiurare il pericolo dei fulmini. Venerava quei ramoscelli come reliquie di santi e, in casa, ne appendeva un po' dappertutto.

L'ulivo è un albero universale che rispecchia la vita di ogni uomo. Nessuno infatti, sulla Terra, dallo spazzino al re, è immune dal dolore che piega l'animo e contorce i giorni fino al limite estremo.

E allora, nel momento dell'ultimo passo, dove tutto torna nel nulla e tutto il "legno" che abbiamo accatastato nella vita non avrà più alcun valore, si dovrebbe pensare all'ulivo e cercare di imitarlo, andando via da questo mondo con dignità e in silenzio.

Indice

adori Editore

iume è stato stampato
Mondadori Printing S.p.A.
mento NSM - Cles (TN)
mpato in Italia - Printed in Italy